YOUNG AT HERT

Collected Works of Margaret Grant

Huntly Makar

Published in 2017 by Huntly Writers

With assistance from Lumphanan Press
9 Anderson Terrace, Tarland,
Aberdeenshire, AB34 4YH
www.lumphananpress.co.uk

Typeset in Sabon & Sabon Next
by Lumphanan Press

Printed and bound by Imprint Digital,
Upton Pyne, Devon, UK

ISBN: 978-0-9935971-5-2

Supported by Foundation Scotland
from the Vattenfall Clashindarroch Community Fund

CONTENTS

Jist for a Lauch

Enlightenment *15*
A Fishy Story *16*
Mak The Best O't *18*
A Fate Worse *19*
Gran Weather *20*
Assault An Battery *21*
Het Stuff *24*
A Reed Face *26*
To Kathleen *27*
Dem Bones *28*
Where There's A Will *30*
Great Expectations *32*
Nae Comparison *33*
A History Lesson *34*
Ronald And Margaret *36*
A Clean Sweep *38*
"Tooth" To Tell *39*
Open Aa Oors *42*
Dinna Stop *44*
I Canna Stop *46*
A've Stoppit *48*
Merry Christmas *50*
The Boddom O't *53*
The Invitation *54*
Wishful Thinkin *57*
Black An Fite *58*
Roon The Bend *60*
Living On Love *62*
Mithers-In-Law *63*
It's Nae Easy *64*
What A Muck Up *66*
Fa Came First? *69*
Erchibald Mcleod *70*
BSE Or Nae BSE *72*
Glorious Dubs *73*
Tyred Oot *75*
Reply To Ronnie *78*
Generations *81*
Epitaph To My Neighbour *82*
Sandy's Awa *84*
Happy 90th *85*

Anither Keckle

A Mystery Solved *91*

Mair Fish *92*

Nothing Today *94*

Blame The Computer *96*

Dot Com Doric *98*

Yalla 140 *100*

The Lucky Saxpence *102*

Worms Again *104*

That'll Learn 'Er *106*

Divot's Dileema *108*

Soor Grapes *110*

The Birdie *111*

As Braid's It's Lang *112*

The Lammie *113*

Lang Tam *114*

Made Tae Lest *117*

When I Dee *118*

The Lonach Men *119*

The Beast *122*

Twa Wishes *124*

Keep Yer Present *125*

Fan I Wis Young *126*

Ower Much O A Good Thing *128*

It's Aa In The Mind *129*

Betty Broon *130*

Nae Thanks *132*

If Robbie Cam Back *133*

The Picnic *136*

The Transplant *138*

The Huntly Loons *140*

The Barbecue *143*

To Auntie Maggie *145*

It's Twins *147*

Christmas "Greetin" *148*

Nae Bingo? *150*

Fair Rattle't *151*

Dinna Dee That! *152*

Crossed Wires *154*

The Scotsman *156*

Fit's On The Menu? *158*

Ye're Aye Learnin *159*

Hurry Up *160*

Aa For Nithing *161*

My Mother *164*

The Last Lauch

Peer Bill *171*

Cheesed Aff *172*

Slow Air *174*

Clean Tint *176*

The Picnic *178*

A Maitter O Choice *180*

Quinie, Forgie's *182*

Up The Spoot *184*

A Short Cut *187*

Mither's Horn Eyn *189*

Oot O The Moos *192*

Bogie's Mary Ann *194*

60 Year Mairriet *196*

Some Age *198*

Caul Comfort *200*

Address Tae A Plate O Stovies *201*

Christmas Eve *203*

Sittin Pretty *204*

Mary Ord, MBE *205*

There's Aye Some Water *208*

Ye Can Only Hope *210*

The Lost Smile *213*

Wrang Spy *216*

The Conundrum *217*

The Botox Party *218*

Romance No More *220*

Hiv Ee Seen The Cat? *222*

Countdown – Tae Fit? *224*

Waiting *226*

Freshen Up *228*

Coordie Willie *231*

Spikk Oot *235*

A Waste O Siller *237*

Keep Yer Heid Doon *238*

Hooked *239*

Life's A Dance *241*

Cpl John McWilliam *242*

Ben The Water Side *243*

The New Born Bairnie *244*

Mad Mac An Rosie *245*

Huntly Pipe Band At Balmoral *248*

Davie's DIY *250*

50 Year On *253*

Previously Unpublished

A Distant Dream *257*

A Fair Cop *258*

A Slip O The Tongue *259*

A Gweed Turn *260*

A Man Nae A Moose *262*

A Villanelle On Reaching The Age Of Seventy *264*

An Honest Mistakk *265*

Christmas Crackers *266*

Deid Slow *269*

Dam That *270*

Dear Mither *272*

Dinna Blame Sooty *274*

Div Ye Ken? *275*

Fa Wints Tae Be A Millionaire? *276*

Fly *281*

For Patricia *284*

Huntly Fiddlers *286*

Ill Naitur *289*

It Nivver Fails *291*

It's In The Bleed *292*

Not Guilty My Lord *294*

Nae Lauchin *295*

O For Simmer *297*

Paris In February *298*

Philip Cameron *301*

Robbie An The Quines *303*

Robbie's Birthday Bash *305*

Share An Share *307*

She'd Believe Onything *308*

Some Late *311*

The Cottar's Setterday Nicht *313*

Aul Blackfriars Bar *315*

The Edinburgh Tattoo *316*

The Fashious Aul Maid *318*

The Hinmaist Word *321*

The New Hearin Aid *323*

The Poochless Shroud *325*

There For The Takkin *327*

Those Were The Days *329*

Untitled *335*

Untitled *339*

Weel Organised *341*

Waterloo *342*

Written For John Taylor Of Inverurie *345*

FOREWORD

Margaret Grant – mention that name in Huntly and receive a nod and a smile. She was a gifted traditional Doric poet who in 2013 was voted to be Huntly's Makar, town poet. For years people had enjoyed her poems for their robust Scottish wit and amazing dexterity with rhythm and rhyme.

The final chapter of Robert Smith's book *Discovering Aberdeenshire (1988)* is called *The Mither Tongue.* In this chapter he has the following to say about the widespread and ingrained custom of versifying in the North-East of Scotland: "These needle sharp couplets were all the vogue a century ago, flourishing in the days when people used verse to tilt at poverty, humbug, and their betters, and very often at themselves."

This sums up the tradition in which Margaret wrote, a tradition which goes back, Smith says, "to the protest poetry of the bothy ballad era"

With this background and skill Margaret joined Huntly Writers, a group dedicated to the mutual support of local writers, with the stated aim of improving her work. She had been writing from the age of twelve, so, as a well-practised versifier she already had acquired the discipline to tackle the more formal aspects of poetry writing. She fell in love with the structures of the villanelle and the ottava rima and put these to good use in her later poems.

Margaret worked hard. Her husband Hamish says that he would often waken in the night to find her scribbling away striving to find just the expression that would best convey an idea or an emotion. A firm believer in the virtue of learning poetry by heart she enjoyed this activity as a youngster and reflected in one of her poems

For a rhyme wis a rhyme
An the rhythm kept time
An tripped aff the tongue
Fan I wis young

As well as writing poems about the random incidents of life Margaret was very much in demand as someone who could provide a suitable ode for special birthdays, retirement functions or family celebrations. She was also a consummate mistress of the rhyming advertisement. No way could her adverts about Strathbogie Saw Service (her husband's business) be referred to as "jingles". She made them as proper poems, overcoming some major technical rhyming challenges in the process as she complained

It's easy wi bars, chines an saws
The machine that sooks an syne blaws
But wi words like "Husqvarna"
Tak liberties I daurna
I've seen ma near climmin the was

But she carried on poetically in rhythm and rhyme giving her best –

If ye need cheerin up in the caul winter days
When ye're beeriet in mittens and hillocks o claes
Wi a dreep at yer nose hingin half doon yer briest
An ilka day's jist as coorse as the neist

Dinna despair, it'll nae lest for lang
An seen ye'll be hearin the blackie's first sang
An seeing the floories that grow in the lythe
O a bank, t'wad be neen the waur o a scythe

There are at least a hundred of these carefully preserved by her sister Elizabeth. Too many, alas, to include in this book but they should be published. Each one is a gem that carries a little bit of history. Neither is the juvenilia included but it is good to know that it has been preserved for future reference.

The book has no glossary. Margaret wrote for the native Doric speakers of her own area and rarely felt she needed to provide a translation for any of the words she used. However she was aware of the challenges of rendering Doric in print. It is largely a spoken rather than a written dialect of Scots and so the spelling is not standardised. Spoken Doric can be very different to the way Scots is spoken in other parts of Scotland and because Margaret wished to adhere to the way local people speak (she was intensely proud of her Doric) there is a tendency in the book to reflect the way a word would sound in the mouth of a native speaker rather than following a specific spelling system. She is not the only Scots writer who has had to contend with this problem.

So this collection is set out pretty much as Margaret wrote it including two prose pieces one of which, *The Lost Smile,* won first place in the 2007 Doric Festival Short Story Competition. There are also a couple of humorous sketches, one noted as having been written for The Women's Guild, which demonstrate another strong

North-East tradition, that of providing home-grown dramatic entertainment. With Strathbogie Fiddlers Margaret toured Care Homes and Senior Citizen Clubs. They offered music, poetry and fun just for the sheer joy of it. Money was not on the agenda at all. But Margaret was proud when her achievements were recognised. Her name is on the Connon Caup, awarded for 'E Best Ower Aa' in the Doric Festival 2006.

At the time that Margaret became the Huntly Makar, part of the plan for this office was that there would be a book of her collected works. She was very keen on this idea for two reasons. One was that she could review past work; improving here, deleting there and including new poems. Secondly it would provide a way of securing the authorship as hers. Sadly Margaret died in 2015 before the first part of this plan could be brought to fruition and it is with something of a heavy heart that I write this foreword in her absence, trying to recall as accurately as I can what her wishes were. The family have been splendid in their help with this – help which has been generously given in a time of grief.

Margaret is terribly missed. For us in Huntly she was indeed 'E Best Ower Aa'. But she would not want us to sit around being mournful. She would be telling us to get on with our writing and not be embarrassed to speak the Mither Tongue.

Maureen V Ross
Convenor – Huntly Writers

Jist For A Lauch

1999

ENLIGHTENMENT

Twa aul maids – sisters ca'ed Lizzie an Jean
Bade in a hoosie in Huntly their leen
Their only companion a cattie ca'ed Dot
The three o them happy content wi their lot

Lizzie an Jean hid nae time for the men
Aul maids they war an aul maids they'd remain
They gid tae the kirk – played a hannie o whist
Wi nivver a thocht for the pleasures they'd missed

They forced the same rules on Dottie the cat
Files she nott oot – bit they seen spraggit that
Ony sign o a tom sittin watchin the hoose
An a boxie o yird wis teen in for peer puss

Nae ups an nae doons – the years wore awa
Till a shock last May ca'ed the feet fae them aa
For at the kirk social a chiel ca'ed Dod Green
On the look for a wife took a shine till oor Jean

In nae time at a the knot it wis tied
Tho nae chucken – Jean made a richt bonny bride
They set aff for a honeymoon doon at the coast
Leavin Lizzie an Dot feelin terrible lost

A cardie arrived wi some picturesque views
Bit tae Lizzie's dismay it wis scuffy o news
Better things tae dee than write postcards nae doot
Three wirds Jean hid written – Let pussy oot!

A FISHY STORY

Willie winnert fit he'd hae
On Friday last wik for his tay
When till his mind there cam a wish
He widna mind a bit o fish
Wi an egg an a quarter o fine breid
Fit mair could ony body need
So aff he gid tae meet the van
That comes fae Banff an sells ye ra'an
Kippers, lemon sole an heerin
Fit aboot prawns? The man wis speerin
Ye can keep yer queer concoctions laddie
Jist gie me a yalla haddie
The man row'd up a bonny fish
Sayin "this will make a tasty dish"
Stowed the money in his till
An handed ower the fish tae Bill
Fa stapped it in his anorak
Or up tae Gateway he wid walk
He didna dachle – aff he set
For he'd tae buy the wik eyn's maet
He bocht a twa three odds an eyns
Exchanged some banter wi the quines
Put athing in a plastic pyoke
An made for hame – oh what a joke
He thocht his fish he wid transfer
Tae the bag – but syne he got a scare

He opened his zip – jist as he feared
His yalla fish hid disappeared
Back tae the shop he gid – bit na
His parcel wisna there ava
He traced his steps back tae the square
Nae luck – his supper wisna there
So roon he gid tae Huntly jail
An tellt a constable his tale
He asked the man tae look an see
If his haddock wis in custody
The lad cam back an shook his heid
We've bikes an dogs o ilka breed
It's marvellous the things fowk fin
But not a fish has been handed in
So Willie accepted there an then
He'd nivver see his fish again
Wi hunger bucklin at the knees
He gid hame an dined on breid an cheese

There's a moral to this fishy tale
As Willie found oot for himsel
Tae hae yer fish (an eat it too)
I've some advice tae gie tae you
Buy't an hame in a baggie tak it
An dinna shove it up yer jacket

MAK THE BEST O'T

"Ye've sax month tae live – o a cure there's nae chance"
Said the specialist mannie tae Pierre ower in France
"That's nae affa lang until yer demise
Jist mak the best o't is fit I advise!

At hame he explained tae his wife Marguerite
"We've saved aa wir lives we deserve a wee treat
So we'll draw oot wir siller an squander it aa
Ye'll hae plenty insurance when I weer awa"

"There's nae need for you gan aboot sic a track
Wi hardly a daicent cloot till yer back
We'll nip intae Paris – rig you oot richt snod
An see aboot bookin a holiday abroad"

"I'm aa for that" said the wife tae Pierre
"Fit aboot Spain? I've aye fancied gan there
Or a filie in London – there's plenty tae dee"
"A'm easy. Fit ivver ye wint ma Cherie"

Nae a meenit tae waste they set aff for the Bank
Teem't their accoont tae the very last franc
Spent siller like watter – time the-gither wis sweet
"That's sax month up – I'm aye here Marguerite
The kitty's fair teem – we're as peer as kirk mice
A'm suin that doctor for wrangfae advice"

A FATE WORSE

My aulest sin George wis pitten in charge
O his sisters as weel as his brither
He wisna that pleased an set aff wi ill grace
In pursuit o some ploy or anither

He'd nae di-does fae Kathleen an Ronald at a
Bit Margaret – a fashious like geet
Wis lowpin aboot – climmin up on the dykes
Rinnin aff an files on tae the street

Jist stop that fleein aboot said George
Ye'll dee fit ye're tellt – aye will ye
Bide on the pavement awa fae the cars
If you get run doon mam'll kill ye

GRAN WEATHER

Fine day
I'll say
Affa het
Gars ye sweat
Dullin doon
Aa roon
Touch o haar
Could be waur
Offerin tae spit
Deil the bit
Scotch mist
Aye is't
We're needin rain
Nae again
Looks like snaa
Get awa
Bit a rare day
For the first o May

ASSAULT AN BATTERY

It wis spring in the howe – the sun hid come throu
An athing showed up in its rays
Cobwebs – aul an some new – deid flees and styou
An the paper his seen better days

Ae Sunday said Anne tae Robbie her man
We'll need tae fa oot on this room
I'll get brushes, a scraper, paint potty an paper
The next time I ging tae the toon

As good as her word up the road she did dird
Next day in her rooshty Fiesta
Tae the reef it wis loadit an Robbie wis roadit
Tae scrape (an nae blaad the plaster)

So till he wis wabbit he scrapit an dabbit
Till by nicht the waas were a shorn
"Fine so far" said Anne "ye're getting on gran
Ye'll get intae the paintin the morn"

Noo paintin is nae oor Robbie's forte
He tried a twa three different ruses
Tae get oot o't bit na – Anne spraggit them a
An ca'd them gey feeble excuses

Nae hopes bit get yokit – he splootert an chokit
His face swallt up like a meen
Fumes – Rob couldna stan – got nae cuttins fae Anne
She said "Plenty waur cases she'd seen"

"If you wid get on an nae bother tae moan
Ye wid jist tak a day till't or less
Ye're nae gaun tae smore – ye've missed half the door
An stop gaun on till the gless"

By nicht – half deid wi a splittin sair heid
The timmer a deen wi twa coats
She'd nae let im oot – wi turps an a cloot
He'd tae dicht up a the wee spots

The following day a shot Rob wid hae
At hingin the wife's new paper
An she volunteert as the batter she steert
Tae paste – hoo wis that for a caper?

She did him nae service for Rob wis that nervous
His fingers a turnt intae thooms
He cursed an he swore as the paper it tore
An he wasted enough for twa rooms

It files didna match an nott the odd patch
He cut it in a the wrang shapes
An when tryin tae rip an upside-doon strip
Fae the wa – he trippt ower the steps

He fell flat on is face an oh! sic a mess
The batter gid a ower the fleer
His wife she gid spare – couldna tak ony mair
An collapsed in a heap on a cheer

While she hid a good greet Rob got till is feet
A covered in batter wis he
But he startit tae skite – gid doon wi a clyte
An cowpit the brand new TV

"Get up oot o there" roared Anne fae her chair
Withoot ony thocht for his plight
"When ye've cleaned up this clort – the TV ye'll sort
In time for Eastenders the night"

Anne examined the waas pintin oot a the flaws
She girnt an complained wi sic force
That Rob said "Enough, yer paste ye can stuff
For I'm gan tae try for divorce"

Ower the rest o this tale we'll jist draw a veil
But at last the work wis complete
Rob sat doon by the fire his work tae admire
Fae the comfort o his favourite seat

Anne screwed up er face the scene tae assess
Said she "I wis thinkin noo Robbie
That bonny new roomie maks a-wye look gloomy
Fit aboot fa'in oot on the lobby?"

HET STUFF

I ken it's nae the thing tae lauch
At a medical "mishunter"
Bit wyte or ee hear o the ill
That cam ower peer Willie Hunter

The ither nicht his haemorrhoids
Sair stoont – he turnt an twistit
Raivellt the covers, woke the wife
An neen of them got ristit

In search o some medicament
For the bathroom Willie heidit
"Nae need for powkin in the dark
Pit on the licht – ye'll need it

Ye'll get the tube o stuff for piles
In een o yon wee presses
I think it's on the tapmaist shelf
Ye'll maybe need yer glesses"

"Haud yer wheesht – I've fun the tube
I'll seen get athing sortit"
An on tae his posterior
A dollop Willie clortit

Peer man, he near gid throu the reef
He roll't aboot in anguish
Alice hid tae hap er lugs
She nivver heard sic language

Oot ower she lowpit – on the licht
An she wis fair begaikit
"Nae winner ye're in purgatory
This is *Deep Heat* – man ye're glaikit"

A REED FACE

Kate hid tae visit this fantoosh like fowk
In a feerach nae handy wis she
Bit she dollt hersel up an wis lookin richt weel
In her costume an high-heelers tee

She hidna on make-up or stuff on er een
She gid for the natural look
For ower muckle pooder an paint on her dial
Made a deem look ill-faurt in her book

She drove up tae the hoose – an man it wis braw
Wi a couple o Mercs in the drive
Took a deep breath or twa tae steady hersel
Gid the fancy brass bell a bit rive

Kate's mou wis aa hackt an roch wi the caul
So afore they cwid answer the door
She fished oot her tubie o salve in the dark
An gid baith o her lips a gweed score

"Come in" said the wifie – a richt fashion plate
Nae a hair on her heid oot o place
But gie her her due – she kept a calm sooch
An nivver a smile crosst her face

Which hidna been easy – for later Kate's man
Said "Michty – it's nae neen like you
Tae pit on sae much lipstick as ye've on the nicht
An nae keep tae the shape o yer mou!"

TO KATHLEEN

Ye're affa cute – there is nae doot
Jist look intae the glass
Wi skin as pure's the daylicht oor
Ye are a bonny lass

Yer sweet young mou an een sae blue
Lang golden silky hair
An slender frame – they aa proclaim
A maist angelic air

Fit's that ye say ye did the day
Up at the Gordon Schools
Ye thumped a loon fae up the toon
For swickin at the bools?

I doot ye're nae as cute's I say
I've fun ye oot ma quine
Ye're jist as bad as ony lad
O tomboy lass o mine

DEM BONES

A'll mak a pot o broth the morn
Said Mither tae young Maggie
Tak this notie tae the butcher
There's a powen in yer baggie

Maggie laid the powen note doon
An tellt the man her eerin
"Fit wis that ye socht" said he
"I dinna think I'm hearin"

"Aa richt – nae need tae tak the huff
Dinna overdo it
I'm jist surprised yer mither speert
For a powen o beens an suet"

"Bit I've nae doot she kens er mind
An fa am I tae query
The wishes o a customer
Jist gies ten meenits dearie"

Lachie the butcher disappear't
Awa ahin the scenes
An twa-three times he wachlet ben
Wi oxterfaes o beens

There wis beens wi bits o beef on them
An beens a scrapit nyakit
Beens ower big for any pot
The butcher saa'ed an hackit

Shin beens an knuckle beens
Big beens foo o marra
He said "Tae get this birn hame
Ye'll gey near need a barra"

Bit Lachie wisna finished yet
On tap o't wi a thump
He clapped a daud o suet
The maist enormous lump

Maggie hid nivver seen the like
"Mither'll hae ma lickit
If I ging hame wi aa this beens
I'll need tae check ma ticket"

She fished it fae her pooch an wailed
"Oh Lachie – I near blew it
I've got it wrang – I should o socht
A been an a pun o suet"

WHERE THERE'S A WILL

How can I help you – my name's Black
It's a Will a'm needin you tae mak
Certainly – I've made a few
I'm quite an expert – take a pew

Will your estate be big or small?
I hinna an estate at all
Just a wee hoosie up in Clatt
No probs – we'll soon take care of that

Now where do you bank – the TSB?
Na na – yer banks are nae for me
I've got a biscuit box instead
Weel shoved in aneth the bed

Have you any bonds and stocks?
Aye – twa-three tickets in ma box
Marks an Spencer, ICI
An a puckle ither eens forbye

Oh dear! All these documents and cash
What about fire? *Oh dinna fash*
Ye think I'm daft – withoot a clue
I'm weel insured wi the NFU

So you'll leave you assets to your wife?
Na – I've been single aa ma life
Will you leave any offspring when you die?
Neen that I ken o onywye

Right, that leaves your next of kin
Nae them – they'll jist kick up a din
I'm leavin't aa tae charity
Maybe the RSPCA

Good, good – I've all the details here
I wid think so – what a lot ye speer
Now you'll need an Executor as well
Nae need for that – I'll dee't masel

GREAT EXPECTATIONS

Here lie the remains o Jock Smith fae The Braes
A hard workin chiel – he'd been dowie for days
Fan ae Friday nicht comin hame fae the moss
He gaed intil a dwam an dee't in the closs

A single man Jock, he'd some siller laid by
For the odd shoory day that micht come 'is wye
But whither throu sweerty or coorseness or greed
He hidna a Will – intestate he dee't

Fan the wird brook oot – freens he'd nae seen for years
Cam dabbin their noses an dichtin their tears
An aifter the greetin an bile't ham wis by
For the richt tae Jock's moggin they startit tae vie

So here lies Jock – an tho he's awa
He's kecklin an lachin, I'se warn at them aa
For damn't in the eyn not a bawbee they got
He'd been claimin "Support" an the State took the lot

NAE COMPARISON

Ye wid ken tae see ma a'm fair weerin on
Roon aboot sixty – teeth, looks – athing gone
The heid's growin fite – A'm maist affa blin
On a brae I wid files need a shove fae ahin
There's a muckle spare tyre far ma waist eest tae be
An nooadays rich maet an me disna gree

Still ma bosy's richt saft for craiturs that's sad
Am sure the grandchildren think ma "nae bad"
A thochty aul fashiont an daft – maybe so
A gweed enough granny as far's grannies go

Bit the sweetest o bairns can be fair oot an blunt
Or ye ken o't ye're hittin the grun wi a dunt

Oor Lyn wi er nose in a pop music beuk
Eyin ma up wi a peetyin look
Said "Grunny – ye widna believ't bit it's true
Tina Turner's exactly the same age as you!"

A HISTORY LESSON

Father an Peter they set tee
Tae red oot the aul lavatry
T'was biggit tae the reef wi trock
They'd some job kennin far tae yoke
They trail't oot boxes – flooer pots, scrap
Or they were jist aboot tae drap
When there revealed – as plain's could be
A little slice o history
The twa o them were fair amused
A toilet pan that royalty's used

Like me ye'll aft hae heard it said
That ilka hoose has got a bed
Fae Gretna Green tae John O' Groats
That's ristit Mary Queen O Scots
But here – I'm tellin you – it's true
"Darnley" wis written on the loo

It's obvious they hid set forth
Tae hae a twa-three days up north
An the wife that bade at 'Forty-Three'
Gid in for deein B&B
She charged the Queen a sma deposit
Pintit oot the ootside closet
In fact she welcomed them sae warmly
She named her lavvy after Darnley
For he'd been boozin half the nicht
An raise sax times afore daylight

Said Peter "I've a great idea
This pan wid look gran sittin here
Outside on the patio
Foo o floories – what a show
Tam thooms, pansies, lavateria
The lad wis vergin on hysteria
When Dad replied "Of coorse – ye're jokin
The only thing for that's a *docken!*"

RONALD AND MARGARET

I hiv fower bairnies in the hoose
Bit twa are at the school
It's jist the twa that's left at hame
That plague me as a rule

Margaret and Ronald are their names
Their ages three and four
Their high pitched little voices
Nae wye can I ignore

"We're hungry, Mam – we wint a piece
A ginger snap'll dee"
I dish them oot – noo peace at last
Syne "Ronald's hittin me"

"Am needin oot – pit on ma gloves
Ma coat an bonnet too"
Syne meenits later "mam it's caul
A'm bidin inside noo"

They're playin in the kitchen
It's affa quaet, I think
Ben I come – the vratches
Are puddlin in the sink

Files they fecht an greet aa day
An drive ma roon the bend
I'm a bittie sorry for masel
Will this day nivver end?

Syne – when at last they are asleep
Twa golden heids thegither
It's aa forgotten – despite the trials
I'm gled tae be their mither

A CLEAN SWEEP

The Session Clerk's flue wi seet wis bung't foo
His Rayburn it jist widna draw
"Leave't tae me" said Ted "I'll seen get it redd
An swipe the room lum an aa"

He turnt up aboot eicht – wi brushes an weicht
His cloots tied up in a birn
Laid them oot nice an flat ower the cheers an the mat
Tae haud on gettin things in a kirn

Tae the wife o the hoose he said "Dinna vamoose
This mornin a'm short o a man
Tae help's wi the rods – it wid mak a richt odds
If you wis tae gie ma a han"

"It's a terrible thought tae pick the wrang pot
So as seen's I clim on tae the reef
Shout hoo-oo up the lum as loud's it'll come
For I'm getting a wee bittie deef"

She shoutit that clear she wis easy tae hear
Doon gid the brush – nae mistaks
Withoot ony hassle – lum's clean as a fussle
Ted tellt the gweed wife tae relax

As he gaithert the seet intil his muckle sheet
An gid the binks a dicht doon
He said "Weel Mrs B – accordin tae me
Ye're the best hoo-ooer in the toon"

"TOOTH" TO TELL

This latest tale o true adventures
Concerns Annie Garden's dentures
Pairt o her for quite some while
They gaed her sic a bonny smile
A lady fu o social graces
She liked tae ging tae fancy places
An this day that she cam tae rue
Her diary it wis stappit fu
That nicht her man hid got the chance
Tae tak her tae the Rotary dance
Her heid wis fu o fit she'd wear
An fa she'd meet when she got there
When crunchin at a strippit ba
Her bloomin falsers snapped in twa

She ran ben greetin tae her man
"This ball the nicht – I'm jist nae gaun
Ma false teeth's broken in the sink
Withoot them I look sic a gink
Fit am I gaun tae dee noo Jock
I ken I'll be a laughin stock
Get oot the superglue an try
An sort them till the nicht is by
I'll jist ait soup an things that's saft
In case they snap an I look daft
I'll nae ging up the Eightsome Reel
I'll stick tae things that's mair genteel

I winna lauch oot loud in case
They brak an sheet oot o my face
"Come on an help's Jock – be a pal"
"Fear not – you shall ging tae the ball"

As good's his word he led her oot
Like a murderer happit wi a cloot
Intae the car – nae even dressed
An drove tae the toon like een possessed
Wi Annie tryin nae tae greet
He stoppit in a wee back street
Outside a shop fa's sign proclaimed
"While you wait your dentures we will mend"
Seein sic dramas ilka day
The man saw the problem right away
"Tak yer wife awa for a cup o tea
Syne collect her teeth at half past three"

At fit time back they baith did tak
An Annie got a gey begeck
"if that's my teeth I'll ait ma hat
My mou's near twice as wide as that"
"Please will you try them in for size?"
"Indeed I winna Annie cries
"Nae wye am I gaun oot this door
Wi orra things like that" she swore
Peer mannie – he'd anither look
An efter searchin ilka neuk
He hung his heid an said "I'm sorry
I gid them tae a wifie fae the Torry
An she's liked them better than her ain
Or she wid o teen them back again"

"Tae help I'll fairly dee my best
The only thing I can suggest
Come back at five o'clock the day
And a brand new upper set ye'll hae"
Nae measuring or first impression
By five oor Ann wis in possession
O a set o teeth – a perfect fit
In fact – years on – she weers them yet
Her smile's as bonny's it's aye been
She still frequents the social scene
Nae trouble his she hid at a
But she'll only sook a strippit ba

OPEN AA OORS

Ye'll hae heard o the Lecht that's aye blockit wi snaa
It starts at Cockbrig – twines up an awa
Ower the Grampian hills far gales aften howl
Tae the place at the ither eyn ca'ed Tomintoul

There's nae much at Cockbrig – bit een o its charms
Is a wee country pubbie ca'ed the Allargue Arms
Noo-a-days open aa year for the skiers
Tho it shut in the deid o winter for years

A fancy like gent wi his missus perjink
Chanced in by ae Saturday nicht for a drink
Mair eest tae lounges in aul Aiberdeen
The customs at Briggies fair opent their een

Maist fowk wis riggit in work-a-day claes
Keepers in plus-fowers an tweed pickie saes
Fairm jakes in dungers enjoyin their beer
Shepherds doon fae the hills – their dogs on the fleer

There wis weemin there sklakin – darts bein flung
Aye the next "ting" – Archie's till bein rung
Willie Gray's stories got mair an mair droll
As the hans o the clock roon tae midnicht they stole

As the visitors howpit their sma G an Ts
They listent in vain for "Time Gentlemen Please"
A spikk nae aften heard in Corgarff
The man donnt his bonnet – the wifie her scarf

On the wye oot they stoppit for crisps an some nuts
"Can you please tell us when this hostelry shuts?"
They speert at Erchie – the only een sober
"Ach weel – it's usually the eyn o October!"

DINNA STOP

Brian nivver wis a lad
For keepin affa fit
He winna walk when he can hurl
Or stan when he can sit

He winna hae a game o golf
Or fitba, squash or rugger
Or ging oot joggin in his shorts
He is a lazy ****** vratch

But exercise he got I'll sweer
Although he wisna keen
He got mair than he bargained for
Ae day in Aiberdeen

Needin till the upper fleer
In a shop – if he'd been hardy
He wid o walkit up the stairs
Syne the button o his cardie

Widna – on the movin rail
O the escalator hookit
It wisna till he reached the tap
He felt a rugg – an lookit

He saw the button fairly stuck
Inside a little groove
An the only thing that he could dee
Wis keep upon the move

An so – until the button broke
Some exercise he got
A gweed five meenits onywye
O runnin on the spot

I CANNA STOP

Bob an Hamish ae fine day
Were hurlin ben the motorway
When like a great powk fae a stob
A muckle pain shot intae Bob

An affa lad for monkey nuts
Aa morning he hid fullt his guts
O sattit eens – neer half a pun
An noo the ructions hid begun

His insides rummelt like a mull
The pain wis like a ragin bull
But at the wheel he hid tae stay
For he wis on the motorway

I'll hae tae find some wye tae stop
Afore I'm catcht upon the hop
My bowels are jist aboot tae function
Oh thank goodness – here's a junction

They fun a widdie – jist the job
"Nae langer cwid I wite" said Bob
As a dirl gart im grit is teeth
"Jist a fence atween ma an relief"

The pailin slopit doon a brae
But on a wire Bob took is tae
Gid aa his linth an lost control
He'd nae mair agonies tae thole

He tirrt imsel doon till his vest
Wi girse an dockens did his best
Syne dug a hole aside the fence
An beeriet aa the evidence

When Bob gings drivin noo-a-days
He mines tae tak a change o claes
Especially if he's on the nuts
An like tae hae a girnin guts

A'VE STOPPIT

I think I'll start smoking
Ma pals aa dee't
Affa grown up
Wi a fag in the street
Man o the world
Ten Woodbines please
Licht up – deep draw
Start tae wheeze
Get the hang o't
Oh! fit fun
Pollutin the air
Blockin oot the sun
Puff oot the windae
Ess on the sill
Mither's nae daft
Smoking can kill
She'd say tae deef lugs
Stop when ye can
Jist nae need for't
Eh – bit ye're thrawn
I can stop ony time
Nae trouble tae me
Kept puffin awa
Young fowk dinna dee

Tried files tae stop
Hidna the will
Bairns are nae daft
Dad – smokin can kill
I've smoked ma last smoke
Hing oot the flags
I'd raither ma bairns
Than a packet o fags

MERRY CHRISTMAS

Gary Christie wakened up
On the Feast of Stephen
The sna upon the ferm closs
Wis deep an crisp an even
His mither she roared up the stair
She can be bloomin cruel
"Get oot yer bed ye lazy lump
An get some winter fuel"

"Ye can't expect yer da an me
Tae keep ye warm an fed
If aa ye'll dae is bide up there
Sklowfin in yer bed"
Ye'd think she'd be a bit mair kind
Tae a son she loved an cherished
But her taes were dirlin wi the caul
In fact she wis fair perished

Gary wisna a that chuffed
But not a word wis uttered
For tho he's sweer he's well aware
Fit side his breid is buttered
He hid been oot the nicht afore
Wi company sae cheery
But noo he wis a sorry sicht
Wi een blood-shot an bleary

He raxed his han oot for his specs
Tae see fit he wis deein
They didna makk a lot o odds
For nae much wis he seein
He crawled intae his jeans an sark
Cursin the caul weather
Syne walkin like a half-shut knife
Set aff tae find his mither

By the windae gaed aul Hugh
He gaed the loon a shout
"At last ye're up – get on yer beets
An ging an feed the nowt"
He gaithered up the neeps an strae
An bunged them ower the trevis
The effort that each hanfae took
Wis like climin up Ben Nevis

At last the byre wis a seen till
The horse an doggies maetit
Syne mither roared "It's brakfist time
Come on in an get it"
Gary lookit at his plate
Fried loaf, eggs and bacon
He turned green an left the room
Feelin sick an shakin

He trailed his body up the stair
Flyped doon on the beddin
But he couldna rest fer aa the time
His denner he wis dreadin
He chaaved aboot an tossed an turned
The duvet cover rumplin
His mither wid be that annoyed
If he should spew his dumplin

Syne in a aboot came Angela
An she wis far fae dozy
She said "Peer loon ye're gey pae-wae
Com on an gie's a bozy"
She said she had a cure for him
She is a richt wee belter
Awa she gaed an brocht him back
A glass o alka-seltzer

By one o'clock oor Gary lad
Tae go wis fairly rarin
That he'd been knockin at death's door
He wisna really carin
He stuffed his face wi food galore
Sweeties, nuts and sherry
An efter it's disastrous start
His Christmas wis quite merry

THE BODDOM O'T

Michael an Dennis
Twa grandsons o mine
Visit a lot
Their company's richt fine

Barbara ma sister
Wis here fae Paree
"When ye're workin" they speert at er
"Fit div ye dee?"

"I'm a midwife" said Barbara
Michael runklet his broo
"Aye – bit fit div ye dee?"
He hidna a clue

I deliver new babies
That's my work
"Oh I see" said Dennis
"Ye're a kine o a stork"

THE INVITATION

Hamish – at the postie's knock
Fess ben the mail – the usual trock
Plus – sent Recorded Delivery
An envelope addressed tae me
O quality the very best
Stampit wi the Royal Crest

The letter speert if I wid come
Tae London – the Palladium
An at some poetry hae a go
At this year's Royal Variety Show
Hamish leuch or he wis hairse
They'll nivver see throu Doric verse
Yon fancy craiturs fae the sooth
They're aa sae bloomin bool-in-the-mooth
"Lauch aa ye like" said I "My man
I've been socht, that's gweed enough, I'm gan"
"Charlie'll nae get in a snorl
He spens as much time at Balmoral
Sheetin an fishin wi his line
He'll spik the Doric aa the time
An Maggie an the aul queen tae
Are jist as Scots as you an me"

That day I wrote a notie back
For I kent they'd aa their plans tae mak
Sayin "Aye, I'd fairly help them oot
An they'd be in touch again nae doot"

Ma mou wis dry, ma hans were shakkin
Anither Pam Ayres in the makkin!
Fit wye hid they discovered me?
It micht o been yon guild soiree
Or a talent scout at Aberlour
Eence eeran there tae look me ower
Aa the wye fae London toon
I winna need tae let them doon

I winner fa will be compere?
I hope they've Sandy Stronach there
His stories and his repartee
Wid beat Bob Monkhoose ony day
Fa ither'll be on the bill?
The Spice Quines, maybe, dressed tae kill
Tam Jones – I think he's affa good
Flown in that day fae Hollywood
Englebert an Shirley Bassey
Dana yon bonny Irish lassie
Danny La Rue in wifies' claes
Wi music fae the gweed aul days
The Big Yin wi his mowser aff
He'll fair gie abody a laugh
I'm bound tae feel gey oot o place
For I hinna got a weel-kent face
Fancy Pavarotti, Cliff an me
Aa newsin till her Majesty

The Huntly fowlk'll get a shock
When they see ma backless frontless frock
That's Margit – her fowk wis Bill an Nellie
Fit's she deein on the telly?
She mairriet yon lad Hamish Grant
Wi them we've aye been weel aquant
Her a performer? Deil the bit
The big time she his fairly hit

* * *

The bell rings – Margaret – your turn now
On you go and take your bow
It rings – and rings – till I get a poke
"Wifie, get up, it's sivven o'clock"

WISHFUL THINKIN

Katrina an Pam hiv baith got a Mam
As hiv Brian an Graham an aa
An fit div ye think is their common link?
They hiv me for a mither-in-law

We get on great guns they're like dothers an sons
Tae father an me there's nae doot
An I tak great care tae keep oot o their hair
That wye we winna faa oot

I've a terrible dread that I'll hear't bein said
I'm a maist interferin aul vratch
So I try an think twice or I dish oot advice
An keep ma tongue on the latch

My ain mither-in-law wis the best o them aa
Quaet, gweed livin, genteel
Her words aye weel meant an I'll be quite content
If I manage tae dee half as weel

BLACK AN FITE

Chae McFarlane bade in a bucht o a hoose
In the middle o nae-wye his leen
Wi nae mod cons like water an poo'er
He vrocht by the sin an the meen

He'd nae desire for a sink in the hoose
Water nivver appealed much tae Chae
Tho he nott a sup if he'd tatties tae bile
An a drappie for makkin his tay

His face an his neck war barkit wi dirt
Wi hygiene Chae didna fash
Tho files noo an then he'd ging tae the burn
Tae hae a sweel o a wash

Ae day in the closs Chae gid a his linth
An a stoon shot intil his queet
He'd a chave getting up an inta the hoose
An a waur een lowsin his beet

What a gweed job the postie cam by
Wi the paper as usual for Chae
He said "A'll be back when I've finished ma roon
I doot ye'll need an x-ray"

Noo bein aware o the state o his feet
Chae pit on the kettle tae bile
Fullt the basin, rollt up the leg o his drawers
An steepit the sair een a file

Doon at the hospital he tirrt the clean fit
Stuck it oot for the doctor tae see
"I'll examine them baith for comparison's sake
Tak aff yer ither beet tee"

ROON THE BEND

Fit wye can I look when I'm gaun roon a neuk
Said ma man when I showed im some fairly
Some fowk's a the luck – ye're like Lady Muck
Sittin there – I envy ye sairly

Afore ye're ower aul an yer feet turn caul
An yer grey hair has grown even greyer
Ye'll learn tae drive an I'll sit an skive
An look at the parks – oh what rare!

They say Charlie Tawse hisna got ony flaws
When it comes tae the art o good drivin
He works day an nicht – they hiv tae be right
When they say his busincss is thrivin

Said Charlie "Aye Dan – I certainly can
Teach yer missus tae drive – yes sir
Nae need tae mention she's near on the pension
I've learnt auler wifies than her"

March the twelfth did arrive, I wis wakened at five
Inta sic a like state I wis vrocht
Till Charlie cam roon – jist an ordinary loon
He wisna the ogre I thocht

He drove oot the road syne gaed me the nod
That I wis tae tak the wheel noo
Tho the pace wis gey slack – tae Rothiemay an back
Charlie sat wi his hert in his mou

Ilka wikk for an oor roon the toon we wid scoor
Syne roon the by-pass hae a burn
I learnt foo tae park an drive in the dark
An maister a braw three point turn

I manoeuvert an shuntit, the pavement files duntit
Three fit fae the kerb cam tae rest
My roundabout wis tragic – fa said it wis magic?
But I passed my theory test

I hiv tae admit hubby he did his bit
Tho files we were like tae fa oot
He made some gey queer faces pittin me through my paces
Bit it pey'd in the eyn there's nae doot

The fifteenth o May wis reed letter day
When I met the examiner man
Roon the toon we'd a trippie – syne the magic green slippie
Wis mine – oh the feelin wis gran!

LIVING ON LOVE

Here's me a ready for ma tea
Ye've burnt the mince? Oh dearie me
An the mealy jimmy's burst? You'll see
I'll like them fine
An ye've bilet the tatties throu the bree
Well – nivver mind

Come on ower here an gie's a kiss
We'll maybe gie the mince a miss
An jist hae soup – gaad – fit is this?
Oh – minestrone?
Ach fa needs soup? Oh this is bliss
I think ye're bonny

We'll jist hae pudding – here's ma plate
Fit's that – the jeely hisna set
I dinna need tae think o maet
When I've got you
Jist gie's a hug – oh this is great
Ma little doo

A cup o tea'll dee jist grand
An a little biscuit in ma han
The electric kettle isna gan?
Pit oot the licht
For ae thing I could really stan's
An early nicht

MITHERS-IN-LAW

It's aa very weel getting mairriet an that
As lang's ye tak care far ye hing up yer hat
For you cwid eyn up wi yer back tae the waa
If ye pick the wrang een for a mither-in-law

Examine er weel fae yer perch on the fence
An ye'll see yer intended twinty eer hence
Mine – you micht be stuck wi a girnin aul craw
Exactly the same as yer mither-in-law

When finally ye tak yer bride up the aisle
Life will be rosy – at least for a while
Bit watch oot ma lad, for the punch on the jaw
If you try an cross yer aul mither-in-law

Ye cwid argy wi her fae mornin tae night
Bit if ee say black – she's sure tae say fite
Ye'll fin oot it's nae very easy ava
Tae keep the richt side o yer mither-in-law

Bit comfort yersel as hurt feelins ye nurse
Although it's nae fine it cwid surely be worse
For there's jist ae gweed thing aboot mothers-in-law
They come een at a time – ye canna hae twa!

IT'S NAE EASY

On the radio Maggie an John
Oor adverts are pleased tae pit on
An fowk are euphoric
At the verses in Doric
Bit there's nae enough new eens they moan

Tae some it's a bit o a crime
Writin poetry withoot ony rhyme
Bit some words are nae sma
Files a syllable or twa
Tae find marras taks me aa ma time

It's easy wi bars, chines an saws
The machine that sooks an syne blaws
But wi words like "Husqvarna"
Tak liberties I daurna
I've seen ma near climmin the waas

If ye wint a new sprocket nose
I'll seen get a wordie that goes
Bit that firm ca'ed "Strathbogie"
Maks my brain ging foggy
An I sit for oors in a "doze"

Ower things like aix an brushcutter
For a meenit I'll hae a bit mutter
But the simple wee filter
Pits me oot o kilter
Words like that are a richt bloomin scutter

There's plenty o words rhyme wi Dan
He's nae trouble – his name fits in gran
But jist you tak Graham
(If only een'll hae im)
Could his mither o nae ca'ed im Stan?

If only the shop wis in Clatt
I'd manage in twa meenits flat
But of coorse it's in Huntly
An I'll tell ye quite bluntly
There's nae mony words rhyme wi that

WHAT A MUCK UP

We'd seen a twa-three flakes o sna
An Christmas wisna far awa
The shoppin wis gey weel in han
The only problem wis the man
A man o very simple tastes
Quite weel aff for drawers an vests
Wi jerseys he could stock a shop
He'd plenty after-shave an soap
His workin sarks were nearly new
Fit tae buy I'd not a clue

Syne ae fine mornin on the Square
My prayers were answered – aye – an mair
For there ensconced for aa tae see
Were Strathbogie Y.F.C.
Like chape johns at the barras they
Made sellin stuff look like child's play
Inside a cattle float they'd heaps
O tatties, carrots, yalla neeps
Scones an bannocks – hame made jam
Ye made yer bid an oot it cam

A muckle poster catcht my ee
"Buy some dung – delivered free"
My problem's solved – the very thing
Muck for his gairden in the Spring

I tellt the laddie in the float
I widna need an affa lot
Jist a pucklie for the "Dukes"
An the rhubarb in the orra neuks
I widna like a bogie load
Cowpit ootside on the road

"Madam – nae order is ower sma
We'll even sell a bag or twa
We've neen in stock – I dinna think
Boyd's wid appreciate the stink
Leave yer address an we'll ensure
Twa bags o the finest farm manure
Will arrive the morn (if nae afore)
Fresh fae the midden till yer door
He widna even charge a fee
Said it wis strictly COD

Elated – aff for hame I set
For Sunday I could hardly wait
Tae Hamish aa that I wid say
Wis "Yer Christmas gift'll be the day"
I saw the excitement in his eyes
For he dis like a nice surprise
In vain we waitit – jist my luck
I nivver saw my bags o muck

The Club got an award I see
For service tae the community
Their praises in the press were sung
For playin whist an deliverin dung
Fine for the lucky eens nae doot
But jist because they missed me oot
My mairriage nearly hit the rocks
For aa he got wis a pair o socks

FA CAME FIRST?

"Fa came first Granny
The dinosaurs or God?"
Speert Amy Joan
Gan ben Richmond Road

Ye maun dee yer best
Tae satisfy their thirst
For knowledge wi yer answers
"God came first"

"Tell me then" said Amy
"Is this aa true?
First came God – syne the
Dinosaurs – syne you!"

ERCHIBALD MCLEOD

Erchibald McLeod his some opinion o imsel
God's gift tae weemin, so he thocht,
he could fairly act the swell
He wisna affa big – as they say three chanties high
Hair plestert doon wi Brylcreem – a collar an a tie
Ye've heard the term "Fair Erchie"
– weel that's far it cam aboot
A bigsy insignificant craitur in a suit

Noo Erchibald McLeod he took a shine tae Susy Shaw
She gid im little cuttins – didna fancy him ava
He kept buyin pyokes o sweeties for she workit in the shop
An socht her up tae dance at the local Friday hop
He jitterbugged an rocked an rolled –
aa the fancy steps he tried
An Susy bein a quaet quine wis aye fair mortified

But Erchibald McLeod wis as thick as he wis smaa
That Susy wisna sikkin him he cwidna see ava
Aye the next advance he made – an aye the next rebuff
Wis jist like watter affa deuk till the quine hid hid enough
On offerin her a kiss ae nicht Erch fair wis disillusion't
When Susy said "Drap deid ye creep –
I'd as redd be shot as pooshint"

Peer Erchibald McLeod wis shocked –
he got a richt begeck
"Foo daur she spikk tae me like that –
she's got a bloomin neck
Not a complaint hiv I e'er hid fae ony quine I've kissed
So for her chikk an impidence I'll cross er aff ma list
Far fae botherin Susy that shootit her jist fine
An Erchibald's attentions noo are on some ither quine

BSE OR NAE BSE

Mairch '96 as this feow lines I pen
Oor mait his been hittin the heidlines again
This mad coo disease his made abody fleyt
An naebody's sikkin oor beef noo they write

The French dine on puddocks – they're nae fashious fowk
An snails deen in garlic – gyaad ye could cowk
Sweelt aa doon wi wine an connach their liver
Bit try a bit beef fae ower here – Mon Dieu! Nivver

The mannie fae Belgium'll ait his aul horse
German sassidges is coorse and the loaf even worse
In China their soup's made wi wee birdies' nests
An I've heard o smoked rats – nae accoontin for tastes

There's fowk that ait dogs, raw fish an sheeps' een
Golachs an ostriches – beef mauchy an green
Gien a scrape an bung't intae their het stinkin curries
Ye wid think BSE the least o their worries

Weel it's uptae themsels – let them kick up a stink
Tho the horse sees the troch ye'll nae mak im drink
But the EC will fairly come doon roon their lugs
If they try an sell us their puddocks an slugs

GLORIOUS DUBS

Dubs, dubs, naething but dubs
Wails Mary as eence mair her wellies she scrubs
I thocht fit could be worse
Than the dubs at the Corse
But till ye come here ye've nivver seen dubs

Dubs, dubs, naething but dubs
The auld Cortina's up tae her hubs
She's covered in splooters
Fae heidlichts tae hooters
The hens' dirt at Midtown wis a treat tae this dubs

Dubs, dubs, naething but dubs
A fortune ye'd mak collectin't in tubs
It wid sell awa fine
At a fiver a time
For there's naething tae beat a face pack made o dubs

Dubs, dubs, naething but dubs
If ye fa in them you'll hae tae face plenty snubs
An there's naething waur
Than yer fit stuck in glaur
Ye're nae very glamorous covered in dubs

Dubs, dubs, naething but dubs
They stretch like an ocean – they're half up the shrubs
Tho ye ging doon tae Cullen
I'll bet ye a shillin
Ye'll nae see mair waves than in Pirriesmill's dubs

Dubs, dubs, naething but dubs
They're enough tae mak decent fowk tak tae the pubs
Get foo tho ye may
Ye'll be sober next day
An ye'll still hae tae wallow in glorious dubs

TYRED OOT

Sheila wis busy hackin sticks
When she got hersel in sic a fix
Nivver bein a quine tae shirk
Bit fair forfochen wi the work
Tae hae a rest wis her desire
When she spottit this big larry tyre
Well – nae jist een – a feow the-gither
Een pilet up abeen the ither

Tae get the weicht aff her peer feet
She hochlet up tae hae a seat
She sighed a sigh o pure relief
An that wis fan she cam tae grief
Doon inside the tyres she cowpit
An she wis weel an truly dowpit
Boo't twa-fal she wis stuck indeed
Wi her feet up level wi her heid

The mair she chaved the waur she stuck
It wis only by a bit o luck
That Jim her son gaed by the door
She lat oot an almighty roar
"Is that you Jim? I'm like tae faint
I'm in a richt predicament
Bit keep the lads outside the noo
My underwear's exposed tae view"

Sensin an emergency
But nae richt sure fit he wid see
He took a squinty roon the door
In time tae hear anither roar
He saw twa leggies in the air
A tuft o bonny silver hair
Twa three fauls o floory frock
An a face as reed's a turkey cock

Peer loon he gey near took a dwam
"Fit on earth are ye deein mam?"
"Fit kine o silly question's that
Jist get ma oot o here," she grat
"Ye're fairly stuck an that's a fac"
"Nae need tae tell ma – oh ma back"
"We'll need tae get a muckle winch"
"Jist hurry up – oh me – ma hinch"

"Or sen for Donal Fraser's crane"
"I ken I'll get the drivers ben"
"Calm doon – I'll see fit I can dee
Jist you forget your modesty
The lads'll dee fit man be deen
Jist you relax an hap yer een"
Said Sheila fae her rubber trap
"It's nae ma een I need tae hap"

They aa set tee tae ease her oot
Tryin nae tae lach nae doot
Een, twa three an oot she came
Like the cork fae a bottle o champagne

Covert in bruises, black an blue
She couldna stan, she couldna boo
She thanked the men, forgot her pride
An seen she saw the funny side

This maist horrendous escapade
Nae muckle odds tae Sheila's made
But when she needs a rist I'll sweer
Next time she'll pick an easy cheer

REPLY TO RONNIE

Who sent a poem to his mother-in-law complaining that her letters were few and far between

I'm thinkin dear frustrated bard
Times for a poet must be gey hard
When you're reduced tae a rhyming card
What a diatribe!
But at least ye've earned the regard
O a fellow scribe

I think the reason for yer jottin
Wis tae mak puir Violet feel richt rotten
But it seems, my lad, ye hiv forgotten
She's flittit noo
And in the toon ye're oot a lot an
There's lots to do

Anither thing ye must agree
She's nae as giftit's you and me
Writins nae her strong forte
God only knows
Fix the ba she can barely dae
Haud awa fae prose

An noo she's jined the OAPs
There's jumbles, whists and evenin teas
Geordie's a man she rarely sees
But she treats him weel
Tho it's something oot o the deep freeze
For ilka meal

Anither hobby is her yard
She really works in't awfa hard
But Geordie hisna much regard
For her oors o toil
He's mair at hame on Sinnahard
Or Knowehead soil

In the aifterneen she likes tae go fae
Hoose tae hoose for tay an coffee
Tryin oot fowks' scones an toffee
An idle chatter
Tho files the stories are sae woefae
Ye winner at er

Syne in the toon ye maun be bonny
Fair's fair, noo, jist admit it Ronnie
In the Donside dubs there wisna mony
Glamorous dos
The only parlours near Colquhonnie
Are for the coos

But here in Huntly we're nae green
Sophistication is the scene
But it a taks time, ken fit I mean?
This social whirl
By nicht puir Violet's aye fair deen
For she's some girl

But I've advised her fit tae dae
A secretary's the answer, see
She'll maybe sit on Geordie's knee
Or he micht chase er
But a letter ilka week will flee
Fae her word processor

GENERATIONS

My Granny wis aul wi her hair in a bun
An little roon specs on her nose
Boo't twa-faul wi hard darg in her black frock an shawl
As she pleitered aboot in the closs

Noo my bairns' granny wisnae sae aul
She'd a perm an nice claes for the kirk
Bade at hame wivin socks, makin butter an croods
Watched TV when she'd finished her work

But my grandchildrens' granny's nae aul at aa
Weers troosers – enjoys a career
Feeds her man on fish fingers, gings oot tae the pub
An abroad for twa wikks ilka year

EPITAPH TO MY NEIGHBOUR

Here lie the remains o the late John Horne
The dourest vratch that ivver wis born
Nae much o a raver while doon here on earth
Noo he's makin up time for aa that he's worth

This kickin up daisies an restin in peace
While gran for the rest o's when we are deceased
Are ower humdrum an mundane for oor John
I'll tell ye – he's haein a richt cairry on

Of course far he's landit there's neen o this dole
He's a fine steady jobbie shovelling coal
At nicht wi his face geen a half-hung-tee rub
He pits on a clean shroud an sets aff for the pub

There he sups up the pints an chats up the dames
He's a richt little Romeo – kens a their names
Sweers like a trooper – smokes like a lum
Tells orra stories – he's as roch as they come

He's beddit the noo wi a heavenly host
A pyocher he catcht fae a young lady ghost
It's nae tae be winnert at they got the caul
Bidin oot a the oors o the nicht at a ball

He thocht he wis safe the great muckle gype
But there's aye somebody ready tae clipe
An when news o his escapades reached his dear wife
She decided that she'd hae the time o her life

So she's bleachin her hair an paintin her lips
Attendin the discos an wigglin her hips
She gings tae the bingo and even the pub
An rumour noo has it that she's in the club

A sad state o affairs I'm sure ye'll agree
An far it'll end I jist canna see
But o ae thing I'm sure when they meet up again
They'll be sairly pushed een aither tae ken

SANDY'S AWA

Aye aye min – a big turn-oot
Nae a mart the day I doot
Sandy wis aye a hardy chiel
I didna ken he'd been nae weel

Fit cam ower im in the en?
Oh nithing serious as far's ye ken?
An affa day o caul an weet
Bit Sandy's oot o't – lucky breet!

HAPPY 90TH

Awa hine back in 1904
The stork he visited Kinnoir
An bein a gey wily bird
He kent the date wis March the third
He swooped an birled or he wis giddy
Syne drapped his bundle at the Smiddy

Francie an Mary were ower the moon
The latest littlin wis a loon
An tho it soont a bittie silly
They thocht they wid baptise him Willie
The howdie lookin somewhat ruefae
Said William McWilliam – what a moufae!

Noo ilka bairnie has its place
But he aye held a special space
In his mither's hert – tho ane o nine
She lost three sons as weel's a quine
Illness and war left her bereft
Bill is the only laddie left

He wis the aipple o her ee
Nae ill she thocht could Willie dae
An Mary, Aggie, Meg an Jean
His sisters – they were jist as keen
Weel brocht-up quines – they liked tae mither
This loon that wis their only brither

For music he had sic a gift
The saddest hert he'd fairly lift
The soorest face wid surely grin
When he took his fiddle till his chin
He wis a maestro in his day
There wisna much he couldna play

Stumpy, The Cradle Song, The Deil
Waltzes, Polkas, Eightsome Reel
Fae Strip the Willow tae the Lancers
He kent foo tae please the dancers
In halls fae Glass tae Tarrycroys
McWilliam's Band they war the boys

Noo lang ago it wis the rule
When country loons were throu wi school
The usual thing for them tae dee
Wis ging fae hame an tak a fee
So aff on's bike did Willie crank
Tae work for the mannie at Widbank

But smithin hid been in his bleed
An afore he hid been that lang fee'd
He left the lan an learnt his trade
At Moss-side Smiddy in Drumblade
Afore gaun hame tae work as weel as
Ony man at the muckle bellows

Ringin wheels an sheein horse
Fae Rivvies, Auchmill an The Corse
Makin socks an horses' sheen
The Smiddy work wis never deen
He chapped an hemmered wi a will
An awfa man tae work wis Bill

As smith he hid tae keep the craft
An grow some corn tae full the laft
His mither wis some aul for kye
An feedin hens an stirks forbye
So hame tae this idyllic life
Willie resolved tae tak a wife

At Christmas Nineteen Thirty-Seven
Bill fair thocht he wis in heaven
He mairriet Nellie an hame they went
Tae Millburn far sax year they spent
Till granda dee't – this only son
Noo landed back far he'd begun

Complete wi wife an bairnies three
Margaret, James an Peter tae
But he wisna finished there – na faith
There cam Barbara syne Elizabeth
An when he thocht his work wis deen
Isobel cam on the scene

Time marched on – the bairnies grew
Ane by ane the nest they flew
Tho they aye cam back tae the Smiddy steadin
The last time for the golden weddin
Syne ae coorse nicht o frost an snaw
Nellie quietly passed awa

He wis gey lost withoot his mate
But quietly he accepted fate
Tho nae forgettin better times
Wi some tuition fae the quines
He yokit wi the fryin pan
An learnt tae feed the inner man

* * *

The Smiddy's noo a memory
There's naething left o it tae see
Willie bides in Huntly noo
A proper toonser through an through
He washes, irons, cleans an cooks
His hoosie spick an span aye looks
An operation left him frail
Syne he lost his darlin Isobel
But his strength came back he's good as new
In spite o athing he came through
O wisdom he is never short
The sense o fun – the quick retort
A tower o strength – good times and bad
Happy Ninetieth Birthday Dad

Anither Keckle

2003

A MYSTERY SOLVED

The door o the surgery opened a crack
The doctor looked up an saw Belle
He remarked "it's nae aften we see you in here
I doot ye're nae feelin ower well"

"I'm fine in masel, doctor, canna complain
Bit I've turned maist terrible deef
In the lug that I hear wi – it's nae fine ata
I wis looking tae you for relief"

He fixed haud o his tweezers, a surgical torch
Gaed a powkie or twa, a bit rug
"I'm happy tae say, Belle, the mystery's solved
Ye'd a suppository stuck in yer lug"

"I can hardly tak in fit ye tell ma" said Belle
"That's a strange discovery ye've made
On the ither han, though, it gies me a clue
Far tae look for ma lost hearin aid"

MAIR FISH

The "Fishy Tale" a thochtie silly
Wis aa aboot ma father Willie
Fa bocht a haddock for a treat
Tint it somewye up the street
An rakit for't aa ower the toon
We nivver loot him live it doon

Syne, some mair fishy inspiration
Fae France oor neeperin EC nation
Cam fae father, weel fa ither?
On holiday ower there wi mither
Ma sister bides in France, ye see
A nurse tae trade in gay Paree

Noo, in English dad cwid work awa
Stapped in a Doric word or twa
Tae ilka sentence added "like"
An gaed the decibels a hike
An if tae twig fowk warna quick
He thocht them either deaf or thick

But the French wi aa their parley-vous
Hid dad fair blaikit wi their news
His "fits" an "faas" tae foreign lug
Cwid only raise a gallic shrug
An spikkin, weel, that green wis he
The only words he kent "oui oui"

Ae day oot for a promenade
"Here's a market, are ye hungry dad"
Said Barbara "Foo nae fish the nicht?
Mackerel maybe?" "Aye aa right"
"Trois maquereaux s'il vous plait" said she
"Hold on" said dad "wid we nae need three?"

NOTHING TODAY

The aul country post took aa day till his roon
He'd nae easy traivellin like in the toon
Nae bonny reed vannie tae hurl him aboot
Jist a GPO bike an a pyoke his set-oot

He kent fan the girdle wis like tae be on
Wi the chance o a cuppie o tay an a scone
An the news o the howe wid be weel taen throu han
For gossip some fowk are aye on the scran

Noo-a-days we hiv boxes a fine polished bress
Nivver see the postie – nor cwid we care less
Fa staps throu the letters an bills for's tae pay
As lang's he maks sure he's on time ilka day

Bit, back tae wir story, ae mornin o frost
At the heid o Strathdon aul Johnny the post
Declared tae the postmistress – "Meg I some doot
We'll hae a sup snaa or this mornin be oot

There's a deathly like silence – cloods happin the hills
Nae metter, I'll feenish ma roon tho it kill's
It's my duty tae see that the letters win throu"
An as gweed as his wird John set aff up the howe

Wi ae hoose tae dee it wis comin doon dark
Bit a peekie o licht at the heid o a park
Wis a beacon tae John, a lichthoose in the haar
He lowp't aff his bike bung't his pyoke ower the bar

The snaa hid dung on an a puffie o win
Wis garrin er rikk – visibility "blin"
Ae fit by the tither John barely cwid lift
As he kniped up the brae throu the gaitherin drift

As he chappit said he "as sure's my name's Forsyth
It's gled that I am tae be in tae the lyth
Hello Mrs Grant – that's a terrible day
Sorry tae trouble ye – but nothing today"

BLAME THE COMPUTER

Ye've teem't ma accoont o fit little I hid
Said I tae the quine in the Bank
She took till er heels an fess ben er boss
A gypit like chiel bit real frank

Ye dinna save siller by writin oot cheques
I tell't im, I've aye practised thrift
I hidna teen't oot, bit somebody hid
An nae wye wis I gan tae shift

Or he'd looked up his ledgers an checkit his sums
An fan in wi the lost LSD
I thocht it a scandal, a great muckle Bank
Swickin a peer sowel like me

When the lad got a wird in he tried tae pint oot
Nae doot tae save his gweed name
That he's aye fun when the odd thing gings wrang
The computer wis fa ye shid blame

Blame the computer, I've heard it afore
The peer things are aye on the blink
Lumps o plastic an metal that dee fit they're tellt
Ye needna tell me they can think

Havers, said I what nonsense ye spikk
I'll tell ye fa's been at faut
The docknail's the een that's deen aa the ill
Ye need look nae farrer than that

Docknail: *The nail used to fix a blade or handle on a scythe, plough etc; became the word used for the operator of such an implement*

DOT COM DORIC

I'm the IT quine
Noo that I'm on line
Wi ma new PC
Some deem me
Fair switched on
Techno phobia gone

* * *

Log on
Log aff
Me surfin?
Dinna laugh
Floppy disks
(Sair back)
A96
Fest Track
Hard Drive
Doon the fit
Nesty viruses
Aa smit
New domain
Far's that?
Watch yer moosie
Wi the cat

Micro chips
Nae gweed
Modem's
Aff her heid
E-mail
Nae post
Art o writin
Aa lost

* * *

Ye see? I'm nae blate
Computer literate
Progress meteoric
Wi ma dot com doric

YALLA 140

Said Doctor Smith tae Wull ae day
"Nae winner you feel low
I dinna envy you at aa
Ye hiv yalla 140

A tropical disease sae rare
Trail't in fae Borneo
It hisna got a Latin name
Jist yalla 140"

"I've nivver heard o that said Wull
Hiv I got lang tae go?"
"Oh no, maist fowk jist live a wikk
Wi yalla 140"

Wull's wife she speer't "is there a cure?"
Weel – the Doctor he says "no"
It's terminal within a wikk
Is yalla 140

So come on, we'll draw some siller oot
An at the bingo blow
The lot – an that'll tak wir minds
Aff o yalla 140

Wull won fower hooses, twa-three lines
Tae shout he wisna slow
Tho he kent his winnins he'd nae spen
For he'd yalla 140

The manager reesed oot Wull's luck
As he dished oot aa the dough
"Luck? Ye caa me lucky?
I hiv yalla 140"

"Yalla 140 ye said?
You're an extra lucky chiel
140 – wid ye credit that?
Ye've the raffle prize as weel"

THE LUCKY SAXPENCE

I am a little tanner
Bit, since I wis ten eer aul
I've been oot o circulation
An lyin in the caul
In a box o junk an orra trock
In some aul wifie's hoose
Wi buttons, bools an odds an eyns
Nae eese tae man nor moose
Aye – that decimalisation
Wis the death o peer aul me
There wis nae room for a saxpence
When pence turn't intae "P"

Mind you, since I cam fae the mint
Aa shinin like a preen
There's nae a lot I hinna tried
Or much I hinna deen

I've been tint throu holey pooches
I've been in the washin tub
Files in the kirk collection
Ower the coonter in the pub
I've bocht mony a pyoke o sweeties
Chip suppers, ice cream cones
I've been stappit intae nerra holes
In slot machines an phones

I wis swalla't bi a bairnie
When he pat ma in his moo
An landit in the hospital
Tho only passin through!
I wis Setterday pocket money
For the weekly matinee
An they've written sangs aboot ma
That they're singin till this day
Syne nearly thirty eer ago
I met my Waterloo
An landit in that bloomin box
Wi the forkies an the styou

Bit – ye'll nivver guess – I'm still some eese
I'm back oot far it's warm
In the wifie's Christmas dumplin – aye –
That's me – a lucky charm!

WORMS AGAIN

Oh birdie dinna lat me blaad
Yer quest for maet ahin ma spaad
Tae try an flee ye maun be mad
Wi sic a birn
O gollachs, caterpillars, gyad
An unco kirn

Ye hiv a family jist like me
Demandin craiturs – canna gree
You'll nivver get, in yon melee
The hinmaist word
There ends the similarity
You lucky bird

Ye keep yer youngsters spruce an clean
They dinna need designer sheen
Or claes, or hair-do's pink an green
Aa gel't an spiky
Adidas trainers they've nae seen
Haud awa fae Nike

For denner tickets ilka day
Pocket money (some oot-lay)
Or pop CD's ye dinna hae
Tae claa yer pooch
Aye, the craiturs in your nest are nae
Aye on the mooch

Aye hungry, bit nae ill tae please
A treat tae them's a twa-three flees
Nae chippy suppers foo o grease
Like human fowk
Chocolate, crisps or fricasees
Wid gar them cowk

An nae for you a heap o cheek
Nae supermarket eence a week
For new ideas ye dinna seek
Tae wrack yer brain
For the bairns tae say wi curled up beak
Worms again!

Ye dinna get a lot o rest
So hame ye go an dee yer best
Tae full the mooies in yer nest
Up in the riggin
An me? I'll tirr doon till ma vest
An keep on diggin

THAT'LL LEARN 'ER

A sonsy deem wis Aggie Fite
A hame-help wis er job
Lookin efter aul fowk
Tae earn a twa-three bob

Ae thing aboot peer Aggie Fite
What a quine she wis tae ait
Fancy pieces, chocolate, chips
She wis nivver aff er mait

Ae day when makkin aul Tam's bed
At his craftie ower by Keith
She fun a bowlie o brazils
By the dishie for his teeth

Nuts! Said she – ma favourites
Nae harm in haein een
Bit the hinmaist een wis ower er neck
Or she kent fit she hid deen

I've aiten aa yer nutties Tam
I must apologise
I ken-nae fit cam ower ma
Nae winner I'm this size

I feel a bittie better noo
I've gotten't aff ma chest
An I guarantee this time the morn
Yer nuts'll be replaced

At Tam's reply Ag didna ken
If she shid greet or laugh
Nae need – I canna chaa the nuts
I jist sook the chocolate aff

DIVOT'S DILEEMA

Divot wis fee't at Smiddyhowe
An easy-osey chiel
Nithing pit im up nor doon
Or the day he took nae weel
Not him! Or the day he took nae weel

It startit wi a nesty yock
Tae claa't gert Divot pech
Raxin till his hinner eyn
He thocht he hid a flech
I cwid sweer I hiv a flech

He tirrt imsel an fyached aboot
Pichert wi the tyavin
Bid deil the flech did Divot fin
Weel – it his tae be a yaavin
That's fit it is – a yaavin

In the chaumer efter supper time
The door ahin im sneckit
Linner an drawers wis scraann't in vain
Divot vow'd imsel fair blaikit
I'se warran said he I'm blaikit

Bit Divot's yock got waur, peer vratch
It dirl't an stoon't ding dang
He cwidna traivel, sit nor boo
He kent nae fit wis vrang
Oh me! Fit the divvle cwid be vrang

Tak doon yer moleskins, Divot man
Said Doctor David Giles
An gie's a look – fae fit ye say
I suspeck a case o piles
I wyte min, aye, it's piles

They're nasty things bit cwid be waur
Ye'll seen be feelin gran
Suppositry's is the very dab
Pit een in noo an aan
Jist staap een in noo an aan

Een noo an aan – a gey peer do
That doctor's tint is rizzon
Tae mak siccar Divot teem't the box
An swallat half a dizzen
Feel gype – he swallat half a dizzen

SOOR GRAPES

Fit's this I hear – ye've oot a book
Doric Verse – is't worth a look?
That widna be for me tae tell
Ee maun fin that oot for yersel
It's aa been deen afore – lat's see't
Mmph – ony feel cwid dee't
Div ye reckon ony een'll buy't?
I winna ken that or I try't

Some micht need it autographed
Tho nae a lot wid be sae daft
Me sign copies? Toot awa
Ye ken my name's nae Monica

It's nae for me – I dinna read
Poetry an dirt gings ower my heid

What a peety – it ye'd stukkin in
At the skweel an nae faen aa ahin
Bit learn't tae read like ither fowk
An nae turn't oot a muckle gowk
Things micht be different fa's tae say?
Ee cwid be stannin here the day

THE BIRDIE

That nesty pussy hid ye in it's clooks
It wisna hunger, jist the need tae kill
Bit yer time's nae come an, dash't ye won awa
Tae sit there coorin on the windae sill

Oh craitur, fit a feerach tae be in
A hoose is nae the place for sic like you
Yer hame's the open air, yer reest the trees
Yer reef the canopy abeen sae blue

Yer little hertie's dirlin like tae burst
Sae's mine, we've that in common you an me
The day, though, my dear sister's time hid come
An she, like you, wis far ower young tae dee

Flee flee awa my bonny wee broon bird
Tak tae the lift on shinin dancing wings
Ye're the spirit o peer Isobel set free
At een wi the cloods an stars an heavenly things

AS BRAID'S IT'S LANG

Mam's much heicher than you granny
Ee jist come up till er chin
Your legs is sturdy an strong granny
An mam's is spinly an thin

Bit dinna be jealous o mam granny
Nae need tae get in a pirr
She's maybe lang an thin granny
Bit ee're a lot wider than her

THE LAMMIE

He trail't aboot in dubs an sharn
Hans blae, files, wi the caul
Couldna wyte tae be a fairmer
Tho only sax year aul

He keppit nout an maitit dogs
The hens an deuks as weel
Lookit, aye, for Setterday
When he didna hae the skweel

Can I come oot an lamb the day
A'm big noo that I'm six
Fairly that, ma loon, said dad
Awa an get the bicks

The lammie nott a hearty skelp
Or it baa't an took in air
Gie't anither een, dad, an that'll learn't
Tae bore aboot in there

LANG TAM

He wis kent as Lang Tam he wis fond o a dram
Weel – if ye wid look for the truth
He'd drink onything neat as lang's it wis weet
For he'd an unquenchable drooth

Belle, his lang-suffrin wife, led a hell o a life
At hame wi a squatter o geets
Next tae nithing she got tae pit in the pot
Let aleen keep the craiturs in beets

For Tam rarely vrocht – he wis sick at the thocht
Spent maist o his life on the dole
An ilky spare maik gid fair ower his neck
It wis mair nor a wumman cwid thole

Files fin he wis foo Tam got lang in the moo
At the thocht o Belle's nyatterin tongue
An the booze didna gree like it eence used tae dee
Wi his guts noo he wisna sae young

It cam intae his heid he'd be better aff deid
When the Bogie ae nicht wis in spate
I'll tirr doon tae the skin an throw masel in
Let a watery grave be ma fate

An that'll show Belle when she's left aa herself
Foo ill aff she'd be wi the wint
O a gweed man like me that she nivver lat be
Wi her tongue – aye I wyte she'll be tint

The job wis complete fae bonnet tae beet
Tam wis jist aboot ready tae loup
When intill his view cam twa weemin – he flew
Intae nettles that stung aa his doup

He made not a fuss as he coor't in a buss
O funs or the wifies wid pass
But his luck it wis oot, Flo said fit's that cloot
That's lyin ower there on the grass

By the licht o the meen they made oot twa broon sheen
A pair o brikks an a sark
An the sicht o Tam's drawers gart them see mair nor stars
As they gaithert them up in the dark

Said Florence Oh me, Isie, fit will we dee
There's been a droonin I doot
Some peer sowel in this neuk hid geen in for a dook
Bit I some fear he hidna won oot

Phone 999 on yer mobile ma quine
Get the bobbies tae come on the scene
An I bet ye a fiver they'll sen oot a diver
Fae the CID Aiberdeen

They'll hae Alsatian dogs, jist a sniff o his togs
They'll be aff wi their nose tae the grun
An spotlights I'd say will turn nicht intae day
They're as bricht I'll sweer as the sun

An fit-ivver's geen wrang it winna be lang
Or the mystery's solved there's nae doot
An the victim, peer breet, will be trail't fae the weet
An half o the Bogie pumped oot

Tam wis up tae high doh, he'd lost aa the glow
Brocht on by ower much central heatin
Ye'd o heard his teeth chatter fae half ower the watter
Like a bairn he wis bubblin an greetin

Sorry for imsel he crawled hame tae Belle
Fae the holie far he hid been flappit
Keepin oot o the licht he wis sic a like sicht
Nae sae much as his big tae wis happit

He confessed till his wife foo-scunnert o life
Ower-come wi a fit o the blues
He hid tirrt tae the skin an wis gan tae jump in
Tae the Bogie – Belle near blew a fuse

Well, I've heard it aa noo, ye're daft sober or foo
Tak yer claes aff tae droon – oh tae hang
Ye're a gypit aul twit, for nae maitter fit
Ye try, ye aye get it wrang

MADE TAE LEST

Sic dirt ye get in shops noo-a days
Girn't Meg as she laid aff er chest
Plasticky trock – the workmanship peer
Ye canna get nithing tae lest

She wis duntin the basses an swiping the step
The styou ower er shooder did flee
As weel's er opinions o modern times
An the wye that things eest tae be

Tak this besom I bocht jist efter the war
It's seen it's share o hard graft
Fower new heids is aa that it's nott
An eence a change o a shaft

WHEN I DEE

I ken fit'll happen when I dee
Ye'll tak me tae the cemetery
Caul an huggerin in the rain
Sad ye'll nivver see's again

An there I'll lie wi the ither deid
A granite steenie at my heid
A daffy in a fancy tin
A twa-three pansies stappit in

Ye'll come an see me eence a wikk
That come-ower ye canna spikk
Change the floories, dicht the steen
Yer duty till the auld wife deen

An as the years they roll awa
You'll see – ye'll hardly come ata
Ye'll maybe say tae een anither
Fan did ee last tak flooers tae mither?

An that's the wye that things shid be
The bits that's left – they warna me
There winna be a mind, a soul
Jist a puckle beens in that caul hole

Life's been gweed tae me ye ken
It's your turn noo, enjoy yer ain
An nivver mind the cemetery
Jist think o me sometimes when I dee

THE LONACH MEN

Aucht o'clock muster
Heavy the deow
An eerie the haar
Hingin roon the howe

Breem in their bonnets
Pikes at hand
Kilted heilanders
Wyte the command

The pipes o Lonach
The drum's beat beat
In time wi the soun
O trampin feet

The green o Forbes
In the lead
The Wallace tartan
Black an reid

Exiles hame
Fae aa the airts
Lairds, ghillies
Lads o pairts

Jine veterans
O mony a year
Donald's cairt
Taks up the rear

Oot braks the sin
Abeen the trees
Wi purple heather
Strathdon's ableeze

By the big hooses
Het weary feet
Drammies poored
Tak it neat

Ho ho Lonach
The patron's toast
Rings roon Conrie
Up by Lost

Three lusty cheers
Hip hip hurrays
Heard fae Nochty
Tae Ernan's Braes

Tatties wytin
At the hall
Anither dram
Keeps oot the caul

Bellies full
Show a leg
Doon tae the park
At Bellabeg

Pipes ging quaet
Hark till the drum
Standards raised
Here they come

Throu the gate
Intae view
The tune The Pibroch
O Donal Dhu

Roon the park
Een need a dicht
The Lonach Men
A stirrin sicht

THE BEAST

There's beasts wi pooches, humps an trunks
Wi ae horn, files, or twa
There's beasts that nicher, roar an growl
That squallach, skraich or craw

There's spottit beasts an strippit eens
Wi lang necks files, or short
There's beasts that's easy fleggit
Or that fowk chase jist for sport

There's mysterious beasts that prowl aboot
That naebody's seen afore
An I'll tell ye noo foo sic a beast
Wis eence seen in Kinnoir

A dog cam in aboot the place
An fleggit pussy cat
Tho terrifeet, she steed 'er grun
An clookit, hiss't an spat

Her hair on eyn, her fluffy tail
A gweed sax inches roon
Back airched sae heich her hale fower feet
Wid o cover't half a croon

Lugs flatten't doon abeen er heid
Een glintin green and bricht
Like a tiger in the jungle
Oh – she wis a fearsome sicht

The dog, a muckle coo'ard at hert
Bit young an feel an raw
Danced roon aboot the cat an bowff't
Tho keepin weel awa

He mintit here, he lowpit there
Nae mair cwid pussy thole
Like lichtnin she wis ower the closs
An up a hydro pole

Far she bade or some-een ca-ed er aff
An till her dish she trottit
An that's the story o the time
The Kinnoir "Pole Cat" wis spottit

TWA WISHES

Ye've a wish the piece said the genie ae day
This is twa for the price o een wikk
I'm a clivver wee genie – jist tell's fit ye'd like
In a han-clap ye'll hae fit ye sikk

We're intil wir sixties, gaun grey said the wife
The pension we'll seen get tae draw
I've aye been content bit I've ae wee regret
A rich man wid o suitit me braw

In a puffie o rikk she hid diamonds an furs
Nae dootin the wee genie's poo'er
An there wis her man wi a Rolls Silver Ghost
A cigar an a fancy chauffeur

Said he, noo I'm rich, I could dae wi a wife
Thirty eer younger than me
When the rikk cleared awa he wis shoving a zimmer
An aul craitur jist turned ninety three

KEEP YER PRESENT

Merry Christmas till ye dearie
I've been shoppin as ye'll see
There's a parcel for ye aa rowed up
Ower there aneth the tree

I ken ye've files felt litten doon
Wi the presents that I've bocht
Like the iron or the set o dreels
I admit I'd little thocht

For the kine o things that weemin like
Aa the fancy fal-de-rals
I should listen till the things you say
Tak nae notice o ma pals

Bit I've excelled masel this year
An this is guaranteed
Tae prove tae you ma darlin
That romance is far fae deid

The bonny paper rippit aff
Reveal't a fancy book
That's title garr't er flatten him
Wi a maist un-freenly look

A hunner things tae dee wi mince?
Romance jist dee't ma freen
A hunner things? Weel I can think
O at least anither een!

FAN I WIS YOUNG

Fan I wis young
At the country skweel
Fine div I mine
We got poetry aa richt
Learnt it aff bi hert
Line by line
Lines that stick in ma heid
Tae this verra day
Bonny words – rhymin prose
Easy tae say

Bit poems noo-a-days
Tho bonny tae read
Are nae gweed tae mine
Or tae memorise
Or learn aff bi hert
Line by line
Nae metter foo clivver
Poetry the day
Wi its short lines an lang
Is nae easy tae say

A rhyme's like music
Tae tone deef lugs
Near abody can mine
The words o a versie
They learnt as a bairn
Line by line

Words fae Wordsworth or Hamewith
Live tae this day
An Tam O'Shanter in blank verse
Wid be coorse tae say

For a rhyme wis a rhyme
An the rhythm kept time
An tripped aff the tongue
Fan I wis young

OWER MUCH O A GOOD THING

Ae Sunday last winter noo it cam tae pass
The minister wis due tae be preachin at Glass
When the maist affa storm blew up in the nicht
Ye nivver saw drifts o siccan a heicht
His entire congregation wis ae shepherd chiel
So he thocht tae reward him for deein sae weel
He wid gie tae the service aa that he'd got
So he ploo'ed throu the hymns, intimations – the lot
Prayers, readins, sermon, benediction an aa
Syne made for the door tae see him awa
You and I have a great deal in common my friend
He said We're both shepherds with flocks to attend
True, true, muttered Geordie, Tae a pint bit jist wait
If ae yowe turned up 'twadna get aa the mait

IT'S AA IN THE MIND

Father opened his moo, bung't a peel at his face
Sweel't it doon wi a jorum o watter
Aye, I reckon that stuffie's deein the trick
An I'll sweer I'm a wee bittie fatter

But I'll awa tae ma bed for a flap
Said he, for I'm by-ordnar wabbit
The wife didna argue, she jist loot im gyang
When he's dowie he's maist affa crabbit

Noo quines, said she while he's oot o the road
The time for a dicht roon is ripe
Tak forrit his cheer, gie the cushions a dunt
An the lino ahin't a bit swipe

Fit's aa this broon thingies lyin aboot
I doot we've a moose or a rat
Mither pickit een up, took a lauch till hersel
Na na, it's mair simple nor that

A sark button wid jist o deen as much gweed
Or a boxie o patent pooders
For instead o aimin his moo wi the peels
He's been bungin them straicht ower his shooders

BETTY BROON

Wee Betty Broon – a bladdit craitur
O peevish an demandin naitur
Girnt and grat far aa she nott
Fit Betty wintit, Betty got

A dorbie geet hid Betty been
The aipple o her faither's een
A muckle thocht o pettit quine
Fa, contert, landit in a dwine

She thocht that NO meant Ach, maybe
Or nae eyvenoo or weel – we'll see
Oor Betty learnt, an learnt richt early
That in the eyn NO meant Aye fairly

Ae day-oot at Codona's fair
She'd shots o athing, wintit mair
Her Ma an Da, baith daicent folk
Aa nonsense spent on eeseless trock

She hid the big wheel in er sichts
Her fowk, tho, hidna heids for heichts
A'm needin on Dad, Betty's wail
Here's half-a-croon, ging on yersel

Fair Airchie, Betty took er seat
Up gid the wheel an Betty wi't
Bit bi bit till at the tap
She lookit doon an saw the drap

Tak's aff, I'm feart, she skirlt in vain
Doon cam the wheel – syne up again
I'm feelin sick, I'm gaun tae faa
Bit Betty's back wis tae the waa

Noo, when Betty's like tae come the bag
Her father disna lose the rag
For Betty Broon's a better quine
He jist says Big Wheel – div ye mine?

NAE THANKS

The hairst wis faain hine ahin
Winter wis draain near
So me an my pal Aileen
Thocht we'd better volunteer

We yokit on the Setterday
An workit till wir backs
War sair an stiff an oor peer hans
War aa reed raw wi hacks

Next day wis Harvest Thanksgivin
We set aff for the kirk
Wi stoonin jints an dirlin hans
Fae aa wir heavy work

The minister he thanked the Lord
For the sun, the win, the rain
An reesed im oot for aa he did
Tae help secure the grain

Aa very true said Aileen But
He's a bittie aff the rails
God's maybe aa that's winnerfae
But – he didna bigg the bales!

IF ROBBIE CAM BACK

If Robbie Burns took a lookie back
In this new century
I winner fit he wid mak oot
O the things he'd hear an see
Especially the fairer sex
He thocht sae muckle o
Wid the lasses he micht meet the day
Inspire the poetic flow

He'd nae see muckle sweet romance
Fae the new millennium miss
Nae wye fit she caas snoggin
Could be seen as ae fond kiss
If he shid try tae liken her
Till a bonny reed reed rose
She'd snort Aye, affa funny
As she snappit aff his nose

An the claes, weel back in Robbie's time
Quines widna be half clad
As they trippit ower the lea rig
For a meetin wi their lad
Their skirts wid wallop roon their queets
Noo they barely hap their doup
Wid the nyakit craiturs noo-a-days
Gar Robbie's hertie loup?

Hiterin aboot in coggly beets
Black stuff clortit roon their een
An mither nature ne'er pit hair
Like yon on Bonny Jean
He'd be taen wi aa the rings an studs
Stuck throu their lugs an faces
As weel's the eens he shidna see
In unmention-able places

Syne – there's their news – hair curlin stuff
A match for ony chiel
The wye young ladies spikk the day
Is onything bit genteel
On hearin them on Friday nicht
Rab micht be forced tae smile
Tho they'd bear nae much resemblance
Tae Mary O Argyll

An a fair begeck he'd surely get
If he socht een for a date
It wid hae tae be a restaurant
For something fine tae ait
Syne a file in by a nichtclub
An a taxi till er hame
Nae rummlin on the Banks An Braes
For the modern Scottish dame

Aa this wid fairly claa his pooch
So he'd haud awa tae Dyce
Tak the chopper till the ile rigs
An forget aboot the mice

Bit ony wye, in modern times
A tractor hauls the ploo
A dizzen furrs tae ilka bout
Daisies dinna maitter noo

If he gaed tae Poosy Nancy's
Weel, let's caa't The Royal Oak
For a drammie wi his cronies
He'd nivver cower the shock
For a start, he'd nae win near the bar
For weemin wi their drams
Or bairnies wi their alco-pops
That's barely oot their prams

The juke box skirlin in the neuk
Wid gar his lugs fair crack
He'd think lang for Afton Water
An wish he cwid ging back
Till the Ayrshire braes he kent an loved
In a quaeter, gentler age
An forget the twenty hunners
An the steer that's aa the rage

Jean, Fit's the oor, the mornin sun
Shines throu the gless sae bright there
Lass, I've jist dreamed an unco dream
Or – micht it o been a nightmare?

THE PICNIC

It wis time for the Sunday School picnic tae Banff
Or Lossie, Fitehills or the Broch
It wis hopit the weather wid bide het an dry
The sea fine an warm an nae roch

The loons riggit oot in a bonny clean sark
Us quines in wir braw simmer frocks
Sandals aa shinin like sharn on a hill
An weel washen fite ankle socks

We'd as mony palavers or we won awa
An lectures tae bide in wir seat
Look efter the little eens, nae spew in the bus
Nae get yersel tint or aa weet

Oor mither wis biggit wi pailies an spaads
An assortment o baskets an pyokes
Full tae the gunnles wi dry claes an baas
An too'els for dryin weet docks

An father's gweed bonnet – it hid been replaced
Wi his hankie, a knot at each neuk
As tirr't till his galluses, fite legs aa bare
His feet got their annual dook

We hid something tae spen, the excitement o't aa
Till the shoppie we trailt back an fore
Biggit san castles, splashed throu the waves
An skirlt at the crabs on the shore

Come on noo, the minister's awa tae say grace
An they'll han roon the bradies an tay
An the pieces, ate up – the seener ye're deen
The seener ye'll get back tae play

An here's an aul scarf for the three leggit race
Hiv ye aa got a tattie an speen?
The sack race comes next – awa for a bag
An mind noo an tak aff yer sheen

An fan it comes roon tae the wheelbarra race
Dinna you be the barra this eer
Ye gaed at a rate nae handy last time
An collapsed in a heap – what a steer

The day fair flew by nae near lang enough
Aye somebody lost or some fuss
At hame time, bit abody turned up in the eyn
Fair wabbit an in ower the bus

Noo-a-days fowk his siller tae burn
It's a job tae gie bairnies a treat
An they widna be seen in the claes that we wore
Or wi han-me-doon sheen on their feet

But will they look back tae fan they were bairns
Tae the pure simple pleasures like me
Jist a run in a bus till an ordinary beach
An an efterneen spent at the sea

THE TRANSPLANT

A stockbroker chiel ca'd Nigel
Fae London – sic a toff
That keepit fancy company
An newsed in best pann't loaf
Took richt nae-weel last eer – in fact
The lad wis gie near deid
As he roll't aboot in agony
Pain sheetin throu his heid
Wi flashin lichts afore his een
Eneuch tae mak im blin
They took im till the hospital
Near turn't im ootsides in
Powked aboot wi ilky test
Kent tae modern man
Syne roon his bed they gaithert
Wi the ootcome o his scan
A transplant's fit we think ye need
He heard them throu his pain
Is that ma hert ye're spikkin o
No – nae yer hert – yer brain
Weel, they scoor't the country far an wide
Fae Kent tae Inverness
Tae try an get a brain tae fit
Withoot ower much success

They'd jist aboot gaen up the ghost
When een cam on the scene
Fae a mannie that hid passed awa
Ten mile fae Aiberdeen

Noo – Nigel's better – keepin gran
Bit the bool's tint fae his moo
For noo he says Aye aye – fit like
Instead o How do you do

THE HUNTLY LOONS

T'was in the news the ither day
The birthday honours list
An ye cwidna dee bit winner at
The worthy fowk they'd missed
For aa the orders o the bath
An lords an sirs an dames
Hid been weel peyed tae dee their work
So here's a feow mair names

Although fae Huntly they aa come
They're kent in north east toons
Fae Aiberdeen tae Foggieloan
They're ca'ed the Huntly Loons
They play an sing an entertain
An nivver charge a fee
Ye'd think the Queen wid gie them aa
At least an OBE

A wizard on the accordian
First, there's Billy Bews
An SOS Bill we're fair stuck
He nivver cwid refuse
A postie in his working days
He'd sic an early yoke
Tae play aa oors without much sleep
Ye widna caa a joke

Noo sittin there fair oot o puff
Sandy Forbes on the sax
The aul-time medleys he belts oot
His lungs he fair can rax
A fan o Sandy's music
It's a sign I'm growin aul
That it minds me o the Setterday hops
Roon at the Templar Hall

The Caruso o Strathbogie
Frank McNally's richt weel kent
Thrillin's wi his tenor voice
A lifetime he has spent
A must at Burns Suppers
He's the bothy ballad king
Aye willin, Frank, tae help fowk oot
An boy, can he nae sing

Anither Forbes nae langer wi's
On the fiddle there wis Jake
Mairches, jigs, Strathspeys an reels
He'd play without a break
When suddenly Jake's bow wis stilled
It wis a sorry loss
But they named some hooses efter him
They're ca'ed Jake Forbes Close

Mrs Sandy Forbes wis pianist
A maestro in her day
When she retired the Huntly Loons
Recruited Alistair Gray
A maister at the vampin
An aa the twiddly bits
Nae maitter fit they play or sing
He'll find a key that fits

Fae aul fowks hame tae WRI
Fae ceilidh tae soiree
A hunner verses I cwid write
O the gweed the lads aa dee
An there's sic-like fowk far e're ye look
In countless ither toons
That dee their bit wi nae het air
Jist like the Huntly Loons

THE BARBECUE

Davy hid come hame tae see's
(He'd been tae the Antipodes)
Foo o tales some grim – some grimmer
Aboot his lang Australian simmer
He spak o mannies in the bush
That ate near onything at a push
Like big fite maggots swalla't livin
Lizards fae their holies riven
Onything that crawl't or ran
Wis bung't intil the billy can
Fit's mair, tae prove his stories true
He'd treat's aa till a barbecue

Some gid fite kine roon the gills
Ithers said It canna kill's
The difference, ony feel can tell
Tween a sassidge an a forky tail
Said Davy winkin till his mates
I'll show them foo the Aussie aits
Noo we canna hae barbecue
Withoot a bittie kangaroo
A knite o ostrich deen in ile
Some spare ribs aff a crocodile
An I fess hame a twa-three tubs
O bonny healthy witchety grubs
It's a peety naebody saw him stop
Ootside the local butcher's shop

Dan – thrawin an against his will
Wi nesty looks designed tae kill
Said – under protest – aye he'd try
A barbie, bit there wis nae wye
Ye'd tempt him wi yer half raw mait
Caul in the middle – ootside het
A bittie bile't ham he wid stap
Wi a clort o mustard in his bap
The young lads slocked their thirst wi beer
An got a bit waur o the wear
Wi the antrin gless o barley bree
(Except for Dan – bit he's TT)
An bottles o Australian wine
Gaed ower like ale it wis that fine
An the foo'er fowk wis like tae get
They turnt neen fussy fit they ate

It happen't Danny wisna wrang
Aboot the menu, for or lang
They'd frozen burgers foo o ice
Clappit on an turn't twice
Dauds o chucken barely deid
Bangers in the middle reid
Steaks delivert wi a dunt
The middle raw, the ootside brunt
An abody till the teuchest fella
Gaed doon that nicht wi salmonella

Bar Dan – as usual he wis richt
Sleepit like a log aa nicht
Raise wi the lark in richt gweed reel
Aye – he wis the only body weel

TO AUNTIE MAGGIE

Since ye took tae yer bed, mony's the oor I've sat wi ye as ye slept. It aye seems sic a peety tae waken ye so I jist sit awa here, gled o the rist. Ye've grown that like Granny noo that yer face is thinner wi age. She didna see ninety six, though! I dinna ken fit wye you've lived sae lang. Maybe it's because ye didna hae a man! I canna dee but let ma thochts wander. Ye war wi ma mither the day I wis born so there's naebody I've kent langer. An, of coorse, I wis ca'ed efter ye. I can files see masel real like ye.

I hiv tae marvel at fit aa there maun be in that fite heid. The memories o near a century. Life at The Smiddy wi yer faimily, noo aa awa. Yer days at Kinnoir school, the jobs ye hid, the choirs, the concerts, the picnics an files the lads! Twa wars, great new inventions like electric licht an motor cars, sad times, happy times ye war aye up tae something an never wastit a meenit. A woman o deep faith, yer weel-thoomed bible wis proof o that an ye aye hid some good reading on the go.

An syne there wis yer music. Sic a gift ye hid for singin, yer fine soprano voice as clear as a bell. Hunners o sangs an poems an hymns aa weel memorized an aa still in there somewye. The nurses tell me ye sing till them when they're beddin ye an I mind last year when ye sang the alto o The Rowan Tree wi Elizabeth, ye hid them aa greetin.

Suddenly, yer een open an ye look pleased tae see me. I speer foo you are an you speer foo I am an that's aboot it noo-a-days. A frail han crawls oot tae be held an ye're content. Ye drift awa again for a feow meenits syne "Oh, ye're still there – are ye gaun hame noo? Ye'll need tae mak Hamish's tea". I enquire if ye're needin redd o ma an ye jist smile. I teet back at ye efter I've said cheerio an ye're still smiling awa till yersel. I dinna ken fit ye're thinking but I hope they're happy thochts. Yer body's deen noo but naebody could say ye're dottlet. Oh, ye files forget fit ye hid for yer denner bit that's nithing – sae div I! Ye couldna be better lookit efter. Yer hair's fluffy an clean an ye smell o pooder. Athing aboot ye's spotless an the staff couldna begin tae ken foo important that wid be tae somebody like you. They aa deserve medals, yer beloved quines fae Scott's Hospital an I jist get the impression that when the time comes tae let ye go, they'll miss ye near as much as I will.

* * *

As she'd deen afore, Auntie Maggie surprised us aa by sittin up ae mornin an demandin her porridge. She wis aye frail, but for aa that she saw anither twa eer. Hers wis a lang life weel lived.

IT'S TWINS

The shops – tae keep the wifies sweet
Wid promise them the meen
Like tippence aff – buy three get fower
Or twa for the price o een

Buy a loaf an get it's marra free
It'll maybe seen turn green
Fit o't, ye've hid a bargain
Aye, twa for the price o een

It maks nae difference fit ye buy
Be't yer fare tae Aiberdeen
A Sunday sark, a toilet roll
Ye'll get twa for the price o een

A mealy jimmy, butcher please
A pun o skink an a been
An I've nae doot like aa the lave
Ye'll gie twa for the price o een

Gie stuff awa? Fit ivver next
On that we're neen ower keen
Fit's the warl comin till
Twa for the price o een?

Bit Douggie hid tae ait his words
When the wife cam hame yestreen
Wi nae ae bundle in er airms
Bit twa for the price o een!

CHRISTMAS "GREETIN"

The denner aa by, I've been reddin awa
Up till ma oxters in Fairy
Nippin on tae catch the Queen's speech at three
By this time ye'd think I'd be wary
For there ye are, stretched oot by the fire
Wi the cat (foo that craitur can purr)
Howpin at something oot o a gless
An the video playin Ben Hur

The same in the mornin, the service wis on
Bit tae watch it I wisna invitit
Na na – true tae form – ye flicked ower tae Sky
Tae watch Rovers – or wis it United?

Nae only at Christmas div you hog the box
Fair enough, we cwid baith hae a look
Bit ye've nae time for quizzes, ye'd raither the darts
So I jist stick ma nose in a book

Selfish an thochtless, twa words spring tae mind
Ye ken foo I like aa ma soaps
It's nae interest tae me fa knockit oot fa
Or fa tae win gold hid high hopes
Or fa lowpit heighest or scored the maist tries
Wis the faistist lad on twa wheels
Or foo far Tiger can hit his wee ba
Or fa wis the world's strongest chiels

Cowboys and indians jist leave me caul
Bit I div like a bit o romance
Gone Wi The Wind wid be richt up my street
If only ye gaed me the chance
Ye'll nae even hand me the Radio Times
Till I see if there's onything on
Like the "remote" it's taen oot o my hans
Can ye blame ma for haein a moan?

* * *

Noo here's my side o't – ye've nae need tae girn
Foo grudge me ma fitba an snooker
When I nivver look at your washin machine
Haud awa fae yer sink or yer cooker
I'll nivver touch yon hoover I bocht
For yer Christmas – I'm nae aa bad, Nellie
So jist you play wi yer ain little toys
An leave peer aul me wi ma telly

NAE BINGO?

I've been aa ower the place recitin tae fowk
In Doric – that fine North-East lingo
Bit I'm gaun tae retire noo I've realised
I canna compete wi the bingo

That day they war jist like bairns that's tint
Their balloons – cos they've littin the string go
They'd faces as lang's the day an the morn
For they'd me instead o their bingo

Tho I'd tapped like Astaire, pa-de-ba'ed like Fontaine
As graceful as ony flamingo
They wid o preferred me in tackety beets
Cryin clickety click at the bingo

If I'd sung like a lintie or skraiched like a craw
Or howled like a dog or a dingo
Little odds t'wad o made for aa they could say
Wis On Tuesday we usually hiv bingo

This show business lark should be left tae the likes
O Rod Stewart or Lulu or Ringo
Their muckle loud spikkers wid mak sic a soun
An droon oot demands for mair bingo

So I'll hing up ma sequins, this game's nae for me
In the fire my diary I'll fling-o
An stick tae the writin syne naebody can girn
That I'm deein them oot o their bingo

FAIR RATTLE'T

A maist persistent rattlin soun
Oor motor run fair bladdit
The man wis like tae blame the car
Some awfa things he ca'ed it

He wis roon the bend an up the waa
He couldna stan the rattle
Or I get the boddom o't said he
I ken I winna sattle

Dementit, at McRae & Dicks
He speirt at a mechanic
Cwid ye tak a lookie at ma car
There's a rattle drivin's manic

Aye fairly that, haud ower, said he
An lowp't ahin the wheel
An expert me at rattlin cars
Ye've fun the very chiel

He shooglet this an powkit that
His thoroughness fantastic
Until the culprit he made oot
Dirl dirlin on the plastic

Said he, ye cwid o saved my time
An yersel a puckle cash
If ye kept yer tap set in yer moo
Nae dirlin on the dash

DINNA DEE THAT!

For three lang wikks I'd been awa
Upon the wild North Sea
Aye, an ile man's life's a lonely life
I cwidna wyte tae be
Safe in the airms o wife an bairns
For my precious time onshore
Thocht I, I'll hire a taxi cab
Fae the station till the door

In ower the back wi aa ma gear
I wachelt, sattlet doon
The man declared we're on wir wye
An turn't his motor roon
Set aff real canny doon the brae
When forrit I jist bent
An tapped his back tae speer the time
Weel, the next thing that I kent

We war doon the hill and ower the road
Tyres skirlin like a pig
Ben the pavement on twa wheels
An throu the Bogie Brig
Doon the girse, an heaps o steens
The car did skite an clatter
Ower the bank an cam tae rist
In a fit or twa o watter

Fit took ye man ye're fite's a ghost
What a wye tae drive said I
What a fleg tae gie's did ye tak a dwam?
Hid ye fusky for yer fly?
Well, this taxi drivin's new tae me
Bit staff's a bittie scarce
I'm stannin in for Jock the nicht
I usually drive the hearse!

CROSSED WIRES

Said Betty till er man ae day
I've been tae Doctor Easton
He's demandit that I lose some weicht
An cut oot aa the feastin

Leonard harkent till er tale
Syne said in rash-like manner
That if she got doon aneth ten steen
A new wardrobe he wid stan er

Some promise that, it did the trick
Gid Betty some incentive
An she began tae lose er curves
In wyes cute and inventive

She stuck tae things like cottage cheese
Cut oot the fancy pieces
An as the puns they drappit aff
Her skin jist hung in creases

She kept her diet – didna swick
Gid in for healthy aitin
Till fowk wid stop er and declare
Oh me! What thin ye're getting

But aa that wis on Betty's mind
As she grew thin an scraggy
Wis the bonny things she'd get tae weer
For her claes hid aa geen baggy

Slacks wi belts an mini skirts
A bonny fittit jacket
Blouses, sheen an fancy frocks
This wid cost peer Len a packet

Cam the magic day – I'm chuffed said he
Ye'd look weel on ony catwalk
Noo – this wardrobe, mind, I said ye'd get
I thocht I'd go for flat pack

THE SCOTSMAN

Wi apologies to JM Caie

Ower in Australia by the edge o a creek
At the sheilas in dookers aye haein a deek
Sat this granda fae Scotland steepin his feet
Tyraneesed wi the bush flees an puggl't wi heat

Nae muckle tae look at – a bigsy wee mannie
That likit tae blaw – his proodness uncanny
He kinnlet his pipe, set his kepp at a gurr
An reesed himself oot withoot a demur

Back hame in aul Scotland I bide on a craft
Wi a feow dreel o neeps, a sup corn in the laft
Ten feedin stots, twa gran milkin kye
Some gweed layin hens, twa-three piggies forbye

The purest o watter comes oot o the wall
An a dram o Glendronach fair keeps oot the caul
On a diet o hame grown tatties an meal
Nae winner ye see ma looking sae weel

For a man o near eichty I look half ma age
Noo I've bocht masel shorts – oot here aa the rage
In ma tropical sark I'm sic a like swell
I cwid weel be the laird o Strathbogie himsel

The wife's riggit oot like a toff for the kirk
I keep her in style she's nae need tae work
The faimly's aa up an, I wyte, deein weel
Tae hae managed aa that I maun be some chiel

A hungry aul crocodile wis lyin in wait
An he nabbit peer granda for something tae ait
Gied a half-hertit rift "A peer thing" quo he
"Bit Scotsmen's nae fit they eesed tae be"

FIT'S ON THE MENU?

We're oot upon a special date
An nae neen fussy fit we get
Jist Scottish cookin on wir plate
Like Cullen skink
Fit wye ye've aa this foreign maet
We canna think

Yer deep fried scampi you can keep
A plate o mince a bittie neep
A twa-three carrots – fine an cheap
Wi plenty ingan
An chappit tatties by the heap
Wid ging doon singin

We ken we maun ait up wir greens
But spinach, gyad, or butter beans
Avocados wi their muckle steens
Is nae for his
If aa ye hiv's yon aubergines
We'll jist hae pizz

For a place that tries tae be sae swish
Nae word o skirlie, yalla fish
For stovies, haggis, we micht wish
Bit dinna worry
We see ye've Scotland's favourite dish
Chicken curry

YE'RE AYE LEARNIN

I wis oot for a traivel tae shove in the time
When I met the laird's gamekeeper Sandy
Pooin at catkins ben by the burn
He'd an oxter-fae gaithert nae handy

Pooin flooers for the missus, fit's teen ye ma loon?
I ne'er thocht tae see sic a sicht
The next we ken ye'll be siccin her oot
Tae the pub on Setterday nicht

If ee vrocht, said Sandy, for the laird an the wife
Ee widna be craa'in sae cruse
I dee fit I'm tell't an the catkins is for
A do up at the big hoose

For a meenit I winnert if I'd heard im richt
Ma jaw draapit near till ma knees
Said Sandy, stop gapin like some muckle troot
Ye'll eyn up wi a moofae o flees

Weel Sandy, said I, there's nivver a day
Gings by bit ye learn something new
An that's news tae me for I didna ken
That doos could ate catkins or noo

HURRY UP

Twas '99 – the great Keith Show
Folk cam fae near and far
An Granny she wis ropit in
Well – ye ken fit Grannies are

They're fine an easy tae get roon
Be it chips or ither treats
Or shotties on the round-a-bouts
A saft touch for the geets

I suppose ower many fizzy drinks
An the caul caul win that blew
Made nature call an Gran set oot
Tae tak Jimmy tae the loo

He seemed tae tak an affa time
At the queue Gran wis affrontit
Come oot o there at eence she roared
As on the door she duntit

At last, wee Jimmy loot her in
Granny shouted michty me
What a loon, ye dinna need
Yer bonnet aff tae pee

AA FOR NITHING

Written for and recited at 2003 Rhynie Farmers' Ball

When the Dominie aul Cecil Black
Decided he'd lay doon his chalk
Retire, or like some failed MP
Spen mair time wi his family
The Rhynie fowk pit roon the hat
The cheque he got wis fine an fat
Some chiel steed up an speechified
An wished him weel fit e're he tried
A gweed lang rist, an easier harra
An vowed they'd nivver see his marra

They heard a dominie wis comin
Syne word brook oot – she wis a wumman
Some spinster deem wi bossy wird?
Na! This een wis a dolly bird
Wi sexy curves an lang blonde hair
Bonny, clivver – an fit's mair
She fittit Rhynie like a glove
An aa the mannies fell in love

Ae forenicht in the Lumsden pub
Twa lads fae the Young Fairmers Club
Willie Young an Sandy Doo
On pints o heavy half-wye foo
Were arguing fa wid get the chance
Tae sic her till the Fairmers' Dance

We'll hae a duel you an me
Said Willie – Sandy widna gree
I ken, I'll race ye up the hill
Aye, fairly that, ye're on said Bill
The first een up an hame'll get er
(As tho she'd nae say in the maitter)

Noo Willie Young tho unco loth
Tae trail imsel up Tap o Noth
Could only hope it wid be rainin
But micht as weel get in some trainin
Nae natural athlete wis oor Willie
A gype he felt an affa silly
Knypin up the Cabrach braes
Wi little in the wye o claes

Gartly, Kennethmont, roon by Clatt
Ye'd see him ony nicht oot flat
At sic a binner by Belhinnie
Like he wis tryin tae catch Ross Finnie
Or rinnin like the win tae make it
Oot o the clooks o Margaret Beckett
A hirplin wreck wi blistered feet
Said he I'm damned if I'll be beat
Tae try an mak his jints mair swack
He didna hurl if he could walk
Laid by the quad bike an the jeep
An took tae joggin throu the sheep

He thocht he'd try yon Atkins diet
Beef for aa – jist grill or fry it
He tell't his Ma – nae loaf or cakes
Gie's plenty protein – Angus steaks
Fillet, sirloin even rump
Said mither tak a rinnin jump
My name's nae Delia she did rave
Ye'll jist tak stovies like the lave

Ae nicht when pechin by Cottown
In peels o swyte near like tae droon
A BMW knocked him fleein
He roared fit div ye think ye're deein
Ye're gaun ower faist – fit's aa yer hurry?
I'm lookin for Miss Jeannie Murray
Nae doot ye'll likely ken her weel
Heidmistress at the Rhynie skweel
We're awa the morn tae buy the ring
We're getting mairriet in the Spring
An she'll get a frock when she's the chance
We're gaun tae Rhynie Fairmers' Dance

MY MOTHER

For a quine fae the toon it wis some fair tak-on
A shock tae the system – a sit doon like yon
On a craft in Kinnoir at the ootbrak o war
Pliterin up tae the queets amon glaur

In service she'd vrocht roon aboot Aiberdeen
An mony genteel wyes o deein she'd seen
An tho nae makkin oot, fit she wisna tae be
As a wife an a mither nae marra hid she

Oor father wis gallus a plain country loon
Wi a touch o Belcanny he files loot her doon
But her heid she held up, nivver slackened her step
In her ain quaet wye her standards she kept

Her first hame wis Millburn bit efter sax eer
Wi three o a faimily – a bit o a steer
Tae The Smiddy she flittit an seen fun her feet
An that wis her hame till the day that she dee't

Baith mornin an nicht she wid ging tae the byre
Leavin us bairns fine an warm by the fire
Nae hydro – a tilly lamp lichtin her wye
As she made for the closs an the twa milkin kye

She trail't ben the greep in a clatter o pails
Joukin the skelps fae lang sharny tails
Got her three-leggit steelie an sat hersel doon
The catties, expectant like, sittin aa roon

A martyr tae hacks wi the weet an the work
She'd a clortie o snowfire in each stoonin lirk
O the hans, honest labour wis like tae caa deen
Tae strachen her fingers took tears till her een

Bit that hans warna jist concerned wi hard graft
Till a craitur nae weel they war gentle an saft
Like her bosy, sae safe, in the deid o the nicht
Tho a doup needin skelpin wid feel them aa richt

She wived, shoo'ed an darned – made new oot o aul
Hackit sticks, bakit breid an gaed tae the wall
Made butter an cheese, maitit hens, dichtit eggs
Fae mornin tae nicht nivver aff her peer legs

Bein aulest, tae gie her a han wis my lot
I'd tae scrub oot the lavvy, chap the hens' pot
Gie a showd at the pram, a bit plump at the churn
When I'd rether be doon wi the loons at the burn

Noo I'm auler I files pit masel in her place
Foo I wish I hid helped wi a bittie mair grace
An less o the girnin – foo it wisna fair
That the loons got tae play an be devil-me-care

She didna mak music or sing or recite
Bit a splore at The Smiddy wis aye a delight
She likit the banter took pairt in the fun
And her hospitality wis second to none

Her tongue could be sharp – fa wid winner at that
Nae nonsense she stood, nae chikk or back chat
By the rules we should bide or the six o's kent fine
Peety help's if we managed tae step oot o line

She hid brains – wid o gotten some learnin the day
Wid life o been better? Weel, fa wis tae say
Wi her hame an her bairnies she wis weel content
An time on wild fancies she'd nivver o spent

Aye, a mither tae reckon wi – firm but aye fair
When ye think o't there's naebody could wish for much mair
An if ony o's ever should chance tae ging gyte
I'll tell ye for nithing, there wis neen o't her wyte

* * *

Noo dinna ask for ony mair
Ye've had it – that's yer lot
A serious case o "writer's block"
Is fit I think I've got

I've nae imagination
I've tint my sense o humour
An if you hear ony different
It's jist a nesty rumour

The Last Lauch

2008

Maybe some o my stories hiv raised the odd smile
Or garrt ye sit doon an think for a while
Some micht hae moved ye tae hae a bit greet
An some shid o kinnel't the fire for a heat

Bit onywye, here we go, book number three
Fit tae caa't the only thing botherin me
I tried this an that, naething suited – bit ach
I kent in the eyn I wid hae the Last Lauch!

PEER BILL

I wis sorry tae hear o yer terrible loss
Said aul Mistress Smith fae the eyn o the closs
What a tragedy Muggie, ye'll fairly miss Bill
Sae sudden, tee, I never kent he wis ill

Na Na Mrs Smith, Bill wisna nae weel
He never wis een for potion or peel
He gaed oot for a cabbage tae hae wi wir stew
An never cam back – weel we ken fit wye noo

When I gaed tae investigate here wis his bricks
Stickin oot fae the dreelies o tatties an likks
Peer Bill, he'd nae pu a cabbage again
But the doctor assures me he felt little pain

Oh Muggie ma quine, ye hiv my sympathy
What a shock ye hid gotten, bit fit did ye dee?
Och I fun a wye roon't as a body aye dis
I gaed tae the press for a tinnie o pizz

CHEESED AFF

Egg sandwiches again, Gyad sake
I'll be crawin seen said Tam
There's ither things the wife cwid gies
Like corned beef or spam
I'd stan eggs maybe eence a wikk
But they've pit me aff ma corn
I'm jumpin aff the Deveron Brig
If it's eggs again the morn

Eggs wid be a treat tae me
I've paste again said Wull
Be it fish or beef it's still jist paste
O paste I've hid my full
If I open up ma box the morn
An ma piece is spread wi paste
I'm aff the brig alang wi you
Yon stuff I jist detest

Said Dod, I've cheese again – a change
Is lightsome so they say
There maun be something mair tae life
Than a cheesy piece each day
For I've cheese an loaf an loaf an cheese
Monotonous it's true
If it's cheese the morn I'm aff that brig
Ahin the twa o you

The morn it cam, as sure as daith
There wis eggs an cheese an paste
Said Tam, tae dee for nithing mair
Than a piece wid be a waste
Agreed, said Wull, so I propose
We pit it till the wife
That the sameness o wir denner piece
His scunnert us o life

An if she disna mend her wyes
We'd seener be in Hell
Aa richt for you wi wives, said Dod
I've tae mak ma piece masel!

SLOW AIR

It cam fae a roup wi a pucklie o trock
A feow lugless cuppies, an aul farrant knock
But a lickie o varnish, a dabbie o glue
Fower strings an that fiddle wis gey near like new

Fae a lad that cwid play he'd a lesson or twa
Seen maistert his scales as he scraipit awa
Practised at nicht fingers dirlin an sair
Wi jist ae ambition, tae learn a slow air

Inspired by the maestros like Skinner an Gow
He gaed intil a dwam when he raxed for his bow
The Conundrum, *High Level*, *The Laird O Drumblair*
Syne *Aul Robin Gray*, his favourite slow air

Strong, sensitive fingers caressin a string
Grace notes sae sweet garrt the aul fiddle sing
Nae lieder by Schubert his senses cwid ser
Like the mournfu lament o a weel played slow air

But jints turn stiff, aul age comes till's aa
He'd tae lay doon the bow, pit the rossit awa
A sad sicht wis yon, near some much tae bear
The callused aul fingers, the hinmaist slow air

In the order o things the young hiv their place
Tae the next generation he boo't wi gweed grace
An the likes o Paul Anderson, wi pathos an flair
Moved an aul man tae tears wi mony a slow air

As they lowered him doon in a bonny lythe neuk
The quaet, wi reverence, the minister brook
Earth tae earth, dust tae dust, ower the words o the prayer
Faint cam the strains o a hauntin slow air

CLEAN TINT

Eck hid heard on the wireless (or wis't on the telly?)
That if ee phoned the Bank ye got pit throu tae Delhi
A state o affairs he wis sweer tae tak in
Till the day that he hytert an barkit his shin

He'd tae spikk tae the Bank – something urgent tae speer
So he dabbed in the number, sat back in his cheer
Wi his fit up, the nyavin wis gettin that bad
Aa set for a news wi the Banker fae Maud

"Thankyou for calling, Sir, what may I do?"
"Aye Aye, that's a gran day, is't sunny wi you?"
"Thank you for calling, how may I assist?
Do you need some advice?" – Eck wis gettin the gist

"Na Na, pit me on tae the Banker at Maud
Or the quine at the coonter – Miranda she's caad."
"Can your problem be rectified over the phone?"
"Nae bother ava – jist ee pit me on."

"Are you calling to say you have funds to invest?
Well, let me assure you our terms are the best
There are many attractive rates to be had."
"Ach, I leaves aa that tae the Banker at Maud."

The craitur fae Delhi wis easy tae bleck
He'd a job wi the Doric as spoken by Eck
"Would you like a new cheque book, some mortgage advice?"
"Muck yer lugs, min, an dinna garr's say athing twice

I've tae contac the Bank a feow yards ben the street
I wid ging there masel bit I've turned ma queet
It's ower far tae hirple so be a gweed lad
An jist lat ma spikk tae the Banker fae Maud."

"Now what is the trouble, have you a complaint?"
"Aye, ma ankle's fair stoonin if only ye kent."
"Your Account Number, please, what's your sort code?"
"Ye'll need tae speer that at the Bank doon the road."

"What is your query, I'm here to assist?"
By noo peer Eck hidna the hert tae persist
"Weel, loon, hae't yer ain wye, ye're glaikit bit frank
I've tint ma gweed bonnet. Did I leave't in the Bank?"

THE PICNIC

A true story which could have had disastrous consequences!

In a gallery in London toon
He missed a step – cam rummlin doon
Maybe the laddie took a turn
Bit onywye, he brook an urn
Fae ancient Egypt if ye will
Displayed upon a windae sill
They tried tae label him a vandal
An sue him – what a doonricht scandal
For fa wi ony wit avaa
Wid leave gweed stuff far it cwid faa?

But his mishanter's nae unique
For ower in France the ither week
A story startit gan the roons
That near shook Paris till its foons

Jayne hid time aff – took the chance
Tae visit Barbara ower in France
An aa set for a lookie roon
They took the metro up the toon
They trailed aboot, looked athing ower
Notre Dame, the Eiffel Tower
Syne Jayne she winnert cwid they hae
A rake roon the Musee d'Orsay

A twa-three steppies like a kerb
Rin by "Le Dejeuner sur l'Herbe"

A picter paintet by Manet
Worth twa-three million powen they say
O nyakit deemies on the girse
Cavortin, howpin wine an worse
Barbara haein bit ae ee
An needin aa her time tae see
A quaet quine an nae neen rowdy
Took her fit, gaed heilster gowdy
Dived near heid first throu the paintin
The guard cwid hardly haud fae faintin
He pit them oot, said "Don't come back"
Wi affront the twa o them wis black

Said Jayne "I fairly thocht ye'd had it
Thank God their picter wisna bladdit"
Tryin their hardest nae tae laugh
They heidit for the nearest caff
An sat ootside consumed wi mirth
At the thocht o fit the thing wis worth

An that's foo Barbara fae Kinnoir
Fa's name they'd nivver heard afore
Gie near gaed doon in history
In th'artistic circles o Paree
As the hytery fittit Scottish witterick
That nearly gatecrashed Manet's picnic

A MAITTER O CHOICE

When Rugg the dentist hit hard times an trade turned
affa slack
An patients war gie sweer tae clim his stair
He thocht up twa three gimmicks tae tryst them
back again
Tak his earnins back tae fit they war an mair

Aa the treatments that he offered he pit in three categ'ries
Deluxe, Standard and Economy
Syne he workit oot a list o charges, stuck it on the waa
The mair fowk got, the bigger wis the fee

For example, if a Deluxe patient nott his teeth aa oot
Anaesthesia wid mak sure he felt nae pain
Twa nursies wid sweel oot his moo an dicht awa the bleed
An his false teeth wid be made o porcelain

Tho nithing wrang wi Standard there wis neuks cut
here an there
The patient got a whiff o chloroform
Aul Mrs Smith the cleaner wis on han tae bring him roon
A great moo-fae o fite plastic teeth the norm

If ye gaed for the Economy ye hid tae be gey brave
Nae anaesthetic, jist a swig o gin
The gairdener he held ye doon an tried tae mak ye spit
An a coorse ill-fittin plate wis stappit in

When aul John Broon fae Ythan phoned the surgery ae day
Athing wis explained tae him by Rugg
An the differences in siller terms atween the categ'ries
War enough tae gar the mannie cock his lug

Noo intae ilka life, they say, a suppie rain maun faa
The antrin dirl o pain that maun be borne
John made his choice in nae time flat – "Economy'll dee
Can ye book the Missus in, please, for the morn"

QUINIE, FORGIE'S

I laboured an sweitit, swore nivver again
Wid I pit mysel throu sic torture, sic pain
But it seen wis a memory, awa in the past
When I held ye sae ticht in my bosy at last
A mither! Yer Mam! Oh the things we wid dae
The times we wid hae, my dother an me

The nursie looked doon at's, tears glintin some bricht
But I nivver jaloused things warna jist richt
Till she opened yer shawlie, I opened my een
Saw an orra bit stump far a han shid o been
My dreams war in tatters, anguished my craa
As I skirlt at the peer lassie "Tak it awa"

They priggit an rizzont that nursies wi me
Pit yer mou tae my briest but aa I cwid see
Wis that bit that wis missin, I grat wi despair
Great tears o self-peety foo it wisna fair
That abody else got fit wis my due
Their babies war perfect an I jist hid you

But that stump didna bather you, nae in the least
It waved in the air as ye suckled my briest
A trustin wee craitur innocent o guile
You didna need twa hans tae chuckle an smile
As yer daddy wid sing, gie the cradle a caa
Slowly my caul hert startit tae thaw

The doctors are clivver, some prosthetics chiel
Will mak you a hannie near better than real
Wi fingers as soople's a butterflee's wing
Oh isn't science a winnerfu thing?
Ye'll dae athing wi ae han far maist fowk need twa
But ye'd still be my lass gin ye'd nae hans at aa

Oh quinie, oh quinie, I hope ye'll forgie
The excuse for a mither ye've gotten in me
Sweer tae accept ye, tae welcome ye hame
Mither! I dinna deserve sic a name
Aye, a mither that cwidna see by fit wis true
That she hid the imperfection, nae you

This poem won the Connon Caup as "Best ower aa" in the 2006 Doric Festival writing competition.

UP THE SPOOT

When Mrs Broon fell doon the waal
  she wis sipin wi the weet
Tint her dignity and her pail
  an malagruized her queet
Her petticoats war roon her neck,
  her hans an feet war numb
Peer wifie she wis fair convinced
  her hinmaist oor hid come

She'd nott a suppie watter tae
  mak up the hennies' mash
Skitit an gaed aa her linth
  (she's aye in sic a hash)
Aa dubs, she's rummlet doon the hole
  tae the boddom o the waal
'Twas her ain wyte but there she lay
  fair huggerin wi the caul

She cried for help or she wis hairse
  but naebody wis aboot
Thocht she "I doot I've hid my chips,
  they'll nivver haul me oot"
Syne Wull, her man, cam roon the neuk,
  his step it didna halt
As he heidit for the stable park
  tae yoke aul Meg the shult

They riggit an they tuggit or
they got her workit loose
Teeth chatterin, on the shultie's cairt
they hurled her tae the hoose
The weemin tirred her till the skin
made Willie gang awa
An pit a spunkie tae the fire
for hypothermia

The doctor he wis sent for he
cam dirdin in aboot
"Fit's this ye've deen, noo, Mrs Broon,
lat's see yer injured foot"
He took her fittie in his hans
an boo't it back an fore
Tried tae mak her move her taes,
the agony garrt her roar

"There's naething broken I wid say
but ye maun tak affa care
Nae maitin hens or hackin sticks
an nae gaun up the stair
I'll gie ye a bit jabbie, noo,
tae tak awa the pain
An I dinna wint tae hear o you
gaun near that waal again"

Twa wikks gaed by syne Mrs Broon
hid the doctor back tae see er
"It's come on" said she "wi stots an bangs
bit I've jist ae thing tae speer
Can I tak the stair at bedtime noo –
my fit can stan the weicht
It's nae easy climmin up the spoot
when ye're nearly eichty eicht"

A SHORT CUT

They steed in a bourach ootside the Sheep's Heid
Weel ile't an newsy, the crack hid been gweed
In vain they hid priggit for mair o the same
They war oot on their lugs an roadit for hame

Noo this reid nosed aul boozer a billie ca'ed Mac
Bade twa mile awa, a lang wye tae walk
But the distance wis havvert, the grun nae sae hard
If ye took a short cut throu the local kirkyard

A hole hid been howkit for aul Mistress Gray
Fa wis due tae be beeriet the followin day
An peer Mac fell doon't richt in ower his heid
The skraich he lat oot wid o waukent the deid

An he cwidna win oot again, try as he micht
So he jist sattlet doon tae wyte for daylicht
He wis oot o the win, slept the sleep o the deid
Thanks tae the alcohol coont in his bleed

Pat, a neeper o Mac's lowpin doon fae the dyke
(Ower waur o the wear tae ging hame on his bike)
In the pick dark a nesty like hyter did tak
Gaed fair doon the hole an landit on Mac

Pat seen sobert up wi a terrifeet roar
When the corpse he wis lyin on startit tae snore
Pit its han up an fichert aboot wi his chikk
Gaed a rax an a gant an startit tae spikk

"This hole's sax fit deep, we'll nivver win oot
We're here or the gravedigger yokes, I some doot"
But wi ae muckle breenge, a lowp an twa strides
Pat wis oot an awa withoot touchin the sides

He wis hame in five meenits, crawled in aside Meg
Shak-shakkin an habberin still wi the fleg
An he vowed tho he lived till a hunner an twa
He wid nivver again lowp that cemetery waa!

MITHER'S HORN EYN

She wore awa quick, Mistress Scott fae Auld Toun
Left Geordie her man an Willie their loon
A gormless like chiel wi a bit o a wint
Tae fen for themsels but, man, war they tint?

They worked awa fine wi the jobbies ootside
Bit hoosework fair lowsed them, sair though they tried
Aye, Geordie an Wullie they hidna a clue
An Mither's horn eyn wis seen covered wi styou

The hoosie it tint aa its hamely appeal
The tinnies wis teem, the girnal as weel
Geordie girned, "I'm fair scunnert o aitin bocht breid
It's up tae you Wull – it's a wife that you need

I ken gettin mairriet's nae your cup o tay
Bit if ee tak a squint at the day's P&J
On the page neist the daiths an advert I fun
Fae a deem that wid ser ye richt doon tae the grun

A hame-bird, she says, likes country pursuits
Wid she ken foo tae milk? I micht hae ma doots
Bit she'll pick it up, ach, in a fortnicht or less
They're quaet aul craiturs, Belinda an Bess

Likes evenins at hame, disna drink much or smoke
She'll be aa richt hersel when we're doon at The Oak
Fond o hame cookin – that's jist fit ee need
A wife that can yirn, dee a bakin o breid

A driver, weel that could come in affa handy
She'll hurl's baith doon tae The Oak in the landy
Tak a turn on the tractor the time o the muck
Or a file at the silage if we shid be stuck

A dog lover, gran, she'll seen earn her keep
We'll gie her aul Fly – she can gaither the sheep
A gweed sense o humour, she'll need it I'll sweer
Chasin stirks that's potchin aboot on the breer

So come on, min, get writin, I'll gie ye a han
We'll offer this body a hame an a man
She'll be shuitit, I'se warran, wi an easy sit-doon
On the eichty odd acre at Mains o Auld Toun"

A wifie cam by as they lowsed fae the hyow
Wi a toosht o a dog on the eyn o a tow
"I'm lookin" said she "for William John Scott"
"Ye're in luck" replied Geordie "that's fa ye've got"

She gaed them a glower, said "You twa maun be thick
Ye hiv, I some doot, the wrang eyn o the stick
I've gotten yer letterie, but Heavens Above!
I'm nae a skiffy – I'm lookin for LOVE

The country pursuits that appeal maist tae me
Are a traivel on Sunday half up Bennachie
Or onything else ootside Aiberdeen
That disna involve gettin dubs on ma sheen

A forenicht at hame noo an aan wid be fine
Cuddlet up wi a man an a glessie o wine
An the cookin – I dinna ging in for't masel
I likes a good feed at a fancy hotel!"

Geordie cockit his lugs took a keek at the dame
Thinkin damnt he widna mind some o the same
So wi nae mair adee he wis up an awa
Tae bide in the toon wi the wifie sae braw

Noo he drives a Mercedes weers Harris tweed suits
Gings oot an aboot on her country pursuits
An Willie? peer Willie's an orphan lamb noo
An Mither's horn eyn is still happit wi styou

OOT O THE MOOS

When we war quinies we learnt foo tae shoo
Knit dishcloots an mak mait like stovies an stew
While wir brithers got wid-work, made things oot o timmer
An files hid a turn in the yard in the simmer

Noo the loonies get cookin (they've taen till't like deuks)
Well, onything's better than history books
An the quines turn oot spurtles an three-leggit steels
Things are nae fit they ees'd tae be in wir skweels

At ae country schoolie, the teacher Miss Ball
Tell't the bairns an Inspector intended to call
On Friday, an they maun dae athing jist richt
Tae show themsels up in an excellent licht

On Friday, the craiturs were aa at their best
The Inspector, a wumman, wis mair than impressed
Syne somebody speert did she fancy a fly
Wi spikkin sae much she wis bound tae be dry

Grateful, the wifie sat doon till her tay
The loons hid been bakin, they'd sic an array
O bannocks an shortbreid, aa very enticin
An bonny wee queencakies happit wi icin

She likit the queencakes, in fact she hid twa
A fite een wi ballies, a pink een an aa
Sat back fair delightit lickin her lips
An speert at the loons for some cookery tips

Why your cakes are so light, I'm not very sure?
Nae bother, ye mak them wi self-raisin flooer
And what makes your icing so shiny and slick?
A that's easy, said Jimmy, ye gie them a lick!

BOGIE'S MARY ANN

Tae Bogieside near Huntly toon the fairmer did agree
Ae Whitsuntide he'd tak me hame a sax month for tae fee
A hungry chiel wis Bogies an ye've aften heard me tell
O the day I met an fell in love wi his dauchter Isabelle

Each nicht alang the Bogie's banks I wandered wi my dear
Tae watch the trooties lowpin in the water pure an clear
We lay aneth the spreadin boughs o a muckle roddin tree
An that wis far my Isabelle she gave hersel tae me

I said that I wid mairry her an save her fae disgrace
But her faither he'd hae neen o that an pit me fae the place
He thocht she'd get a better catch than a fairm loon
 I could tell
For a horseman wisna gweed enough for Bogies bonny Belle

I made my wye tae Liverpool, there wis nae mair tae be said
Worked my passage ower the sea far fortunes could be made
Vrocht hard till I could buy some grun, a rancher I became
But nivver eence did I forget the quine I'd left at hame

I biggit a fine hoose for her aa riggit oot sae gran
Syne ower tae bonny Bogieside I'd sail an sic her han
Wi a puckle dollars in my pooch I gaed tae stake my claim
For surely Bogies noo wid lat his lassie tak my name

But times had changed an things for Bogies hidna gaen
that weel
My dearie hid been mairriet aff till some traivellin tinker chiel
It grieved me sair that Isabelle wid nivver be my bride
As wi her birn my son and her they tramped the countryside

But Bogies hid anither lass her name wis Mary Ann
As like her sister as twa pizz, I offered her my han
I spier't at her gin ower the sea tae bide wi me she'd sail
And be my wife – I liked her fine, though she wisna Isabelle

As time gaed by we got on fine my Mary Ann an me
We prospered in wir chosen land, brocht up a faimily
And though their mither kens the tale she keeps it till hersel
O the time I wisna gweed enough for Bogies bonny Belle

Can be sung to the tune "Bogie's Bonny Belle"

60 YEAR MAIRRIET

November 19th what a steer
The Queen wis in – a richt meneer
She'd Philip's denner tae mak ready
An see her youngest laddie Eddie
Fa's wife hid jist hid her first bairn
An nae doot hid a lot tae learn
So ower tae Bagshot Park she flew
Wi a dizzen bannocks an some stew
Comin back she made a stop
At her local Tesco shop
Her trolley reemin ower the side
For she wis haein fowk tae bide
President and Mrs Bush
Tae be prepared wid be a push
She thocht she'd better change the bed
Far the Corgie's files gaed in an hade
That scuttert she wid near be late
For her drive throu London Toon in state
Syne or she kent 'twis efter four
An her visitors were at the door
She gaed her dother Anne a phone
An said "Quine, if ye've nithing on
Ye micht come roon by, if ye can
An wi this Banquet gie's a han
I hope that fowk's nae ill tae please
If so, they'll jist get breid an cheese
It's jist a cairry-on nae handy
I think I'll sic yer brither Andy

Tae gie's a shoutie if he's able
Gie Chae a han tae lay the table
I've my tiarra lookit oot
A lang frock an yer father's suit
Bit afore I see this Yankee punters
I've tae write a cardie tae the Hunters
Ye'll nae believe't – that weel they've worn
They've been mairriet sixty eer the morn"

SOME AGE

Noo here's a request fae Jane till her Dad
He's a hunner an eleven the day
A wonderful age – a record I'd think
Said James, the radio DJ

I see fae Jane's letter ye're hame fae the rigs
Ye're a driller oot on the North Sea
Some job that for a man o your age
Better you, Mr Simpson, than me

An yer wife's gan oot tae the bingo the nicht
Leavin you tae look efter the geets
There's Jane hersel an the twa year aul twins
I'm gled I'm nae in your beets

Accordin tae Jane ye're fair intae pop
A sang fae the charts wid be swell
I canna help thinkin, tho, readin aa this
Ye're top o the pops yersel

Ye maun hae a recipe for livin sae lang
A hunner an eleven – what an age
I dinna suppose ye drink or smoke fags
But fit odds wid it mak at this stage

Excuse me a mo or I answer the phone
“Hullo there, fa’s that? Oh it’s Jane
Fit’s that ye’re tellin’s, och I’m a richt gype
I’ve gotten my facts wrang again”

Oh me, Mr Simpson, fit can I say
That wis Jane pittin me throu the mill
She’s jist pintit oot I’ve made a mistak
This is nae yer birthday – ye’re ILL

CAUL COMFORT

Man, it's caul, girn't Dod as he chaved in the pew
Bit it's aye caul at funerals, so fit is there new
There's a dreep at my nose, my fingers is deid
My feet's turn't intae twa great lumps o leed
That beadle chiel's nae on tap o his wirk
Garrin's sit half an oor in a freezin caul kirk

Said his missus, can you dee naething bit moan
That mannie aside ye his twa jackets on
Ee'd rether compleen aboot aa mortal thing
Here's the Auld Rugged Cross – be quaet an sing
An at the next beerial pit on thicker socks
An be thankfae ye're nae streekit oot in the box

ADDRESS TAE A PLATE O STOVIES

A daud o ingan fried in dreepin
Some left-ower beef nae wirth the keepin
A drap bree, tatties by the heap an
Fit hiv ye got?
A yoam tae set yer senses leapin
A stovie pot

Wi a gless o milk, a knyte o breid
There's naething else can taste sae gweed
Tho the doctor he micht shak his heid
At sic a bicker
Declarin't an unhealthy feed
Bad for yer ticker

I winna tell ye ony lees
Stovies is foo o calories
Cloggin aa wir arteries
Wi cholesterol
But o moderation naebody dees
The odd treat ye'll thole

They've pit by mony a threshin mull
The teemest belly they can full
A country hop wid be gey dull
If the maet wis ticht
But yer belt a notchie oot ye'll pull
On a stovie nicht

Is there a man here widna wish
Tae swap his pottit heid, fite fish
His haggis, salad, pies, his shish-kebabs,
anchovies
For North-East Scotland's national dish
A plate o stovies

So yer supper's ready, young an aul
Tak yer fork oot o that fal-de-ral
Afore the stovies his gaen caul
Ye'll be weel maetit
Ye can dance them aff syne at the ball
So come an get it

CHRISTMAS EVE

Can ye tak anither twa, she's that sair made
She's like tae fooner, naebody seems to care
Dinna turn's awa the young man pled
Hiv ye nae a neuk o ony kine tae spare?

There's the byre ootby, ye can bed doon wi the kye
Ye're welcome till't the strae is sweet an clean
I canna dee bit thank ye, she'll be dry
She hisna lang tae go, the craitur's deen

They sattle't wi the beasties on the grun
The clinkin chines, laich groans their company
Wi daylicht Mary nursed her new-born son
Jesus – and the rest is history

SITTIN PRETTY

A day in Aiberdeen's aa richt
Bit tirin, aa the fuss
Feet het, purse teem, I made my wye
Tae catch the Huntly bus

The bus took aff wi sic a loup
In a heap o disarray
I tint my balance, flypit doon
On a mannie's P&J

At Insch he startit makkin tracks
Needin me tae shift, nae doot
So I raised my bottom half an inch
An he trail't his paper oot

"Thanks" said he "Tae be a pest
I really dinna wish
I've got my P&J but damn't
Far aboot's ma fish?"

MARY ORD, MBE

Said Camilla, Mither – in-law
Div ye fancy a filie awa?
Balmoral's sae feedin
It's deein my heid in
An I'm fed up o fishin an aa

Tho ye're eichty, ye're soople an swack
We could stroll ben the Dee for a wak
Pit on yer big beets
Hope naebody'll sheets'
An the road throu the heather we'll tak

But ye maybe think that's affa tame
Wid ye like tae ging farrer fae hame?
Well, jump in ower the landy
Leave the corgis wi Andy
Ower tae Huntly we'll haud if ye're game

In by the new Asda we'll call
Stan wirsels a flycup in the hall
At the "Coffee an Buttery"
(A picnic's ower scuttery)
Hae a shottie at their bottle stall

Said the Queen, Man that buttery wis fine
I'm gled you took's ower here ma quine
Here's tae Philip an Chae
Wi their flaskie o tay
An a troot on the eyn o their line

My diet has gaen by the board
Tae pit weicht on I canna afford
I've hid twa bags o toffee
An fa made this coffee?
Said Camilla, she's ca'ed Mary Ord

Ye ken, it's nae word o a lee
I'm scunnert o yon Earl Gray Tea
Efter my tatties
An cappuccinos an lattes
Jist dinna dae nithing for me

But tak Mary Ord's famous brew
Ae cup's nae enough, ye need two
It's fit I caa coffee
Aa milky an frothy
Tho oozin wi calories, it's true

Fit dis't maitter if you get ower stoot
An yer frocks aa need lettin oot
Afore the next banquet
The lord shid be thankit
That there's fowk like Mary aboot

On Setterday, she's oot o her bed
Humpin fite tablecloths, marmalade
Afore it's daylicht
An she's baked half the nicht
Gies awa ilka loafie she's made

Tae Macmillan Cancer a freen
She's a jewel withoot price said the Queen
I ken fit I'll dae
Mak her an MBE
A reward for the gweed work she's deen

THERE'S AYE SOME WATER

The Reverend Ebenezer Ficher
Landit in a nesty picher
When at a presbytery do
He took a dram an got rale foo

Kennin 'twid mak maitters waur
If he shid try an drive the car
He phoned his Missus at the manse
Tae come for him – she said "Nae chance
Ye landit in this snorl unaidit
So tak the same wye oot – I'm beddit
Aa cosy wi the blanket on"
An wi that she clappit doon the phone

A stormy nicht it wis, an caul
As Ebenezer, boo't twa faul
Took till the road throu rikkin drift
Tae see if he could thoom a lift
His heid wis bare, his sheenies thin
Hypothermia seen set in
He trachled on – the language rich
Stottin fae pailin, road tae ditch

The barmaid fae the Rose an Croon
Near ran peer Ebenezer doon
Stoppit, offer't him a hurl
As the flakes o snaa did puff an furl
Her aul Fiesta, reed wi roosht
Files widna start, nott tae be pushed

Wis like a Rolls, a trusty steed
Tae the minister in his oor o need
He wachle't in ower wi a chave
Wi caul his taes did dirl and nyave
"Fa hiv I got? Och aye" said she
"Ye're yon minister ower fae me"

At the manse they couldna raise his wife
A maitter noo o daith or life
There wis little else the quine cwid dee
Bit bed him doon on her settee
Fair jeel't his sleep wis neen ower soon
Upon the mak-shift shakkie doon
At sax, still perished, oot he crept
An met the milkie on the step

The gossip spread an did its roons
"There's watter, aye, far the stirkie droons"
"There maun be fire if ee see smoke"
Ebenezer's plight wis ae big joke
While he, if the truth wis only kent
O ony ill wis innocent

But noo, on Sunday, in the kirk
Ye'll see the holy Willies smirk
Or hear a coorse self-righteous snicher
If the Reverend Ebenezer Ficher
Shid intimate the sermon next
Taks "Love thy Neighbour" as its text

YE CAN ONLY HOPE

There wisna muckle on the box
In galluses an wheelin socks
His missus wivin at her cloo
Sat John, a pandrop in his moo

The news wore roon tae epitaphs
The clever humour, hermless laughs
Syne John got winnerin fit he'd hae
Upon his steen on judgement day

Nivver een for modesty
A self-important vratch wis he
Concerned wi siller, jist a bore
His wife hid heard it aa afore

I needna tell ye, Mary Ann
Ye're mairriet till a self-made man
That startit work as orra loon
At aul Dod Gordon's fairm toon

Vrocht hard, they loot ma caa a pair
Got on for foreman an fit's mair
Nae ither chiel I'll tell ye noo
Cwid haud a spunk till's at the ploo

When tractors cam we hid tae face
The win o change aboot the place
Bit, ye ken, I fair amazed aul Geordie
The wye I hannle't yon new fordie

When crochly jints garrt Jim Smith leave
Afore I kent o't I wis grieve
An syne, of coorse, the chance I took
Tae buy the fairm when aul Dod brook

So wi wir cottart days aa bye
Oor life wis yowes an milkin kye
Pooin neeps, reddin drains
Caain muck an maetin hens

Yavil, clean laan brakkin in
Lambin, sipin till the skin
Shaavin, heowin, calvin coos
Hairstin, thrashin, sheetin doos

Druggin sheep, turnin stooks
Gaitherin steens, keepin books
Scrapin dubs, sortin gates
Accoontants, Bankers, marts an vets

Wi holidays we didna fash
Jist an excuse for spennin cash
We'd fordle ilka powen we'd mak
An nae repeat aul Dod's mistak

An ye ken I wid be less than frank
Tae deny I've siller in the Bank
My shares a tidy sum hiv made
An there's aye yon tin aneth the bed

Ye ken, I'm nae a man tae blaw
But this, I reckon, says it aa
"John Stott lies here, he's mourned sair
Born wi nithing, dee't a millionaire"

Now Mary Ann that's aa fae me
Fit's your inscription gan tae be
Oh I'll jist hae ma name, the date
Syne, maybe "Widow of the late..."

THE LOST SMILE

When I cam tae masel I didna ken far I wis but I could hear somebody greetin. It turned oot tae be Mam sittin aside my hospital bed brakkin her hert. I wis connectit up till aa kines o tubies an ither contraptions that flashed an beepit an my heid wis rowed up like a dumplin in a cloot. A sorry lookin sicht I'se warran. I hid"facial injuries" they said an my ribs hid been malagruzed bit naething that widna come aa richt wi time. I hid appairently been in an accident in my lad Robbie's car wi my best pal Jenny an her lad Ian bit peer Jenny nivver cowered the dunt on the heid she got. The loons got aff lichter an were seen roadit bit I wis affa sair made aboot Jenny. I couldna even ging till her funeral. Robbie an Ian warna serious lads. We aa gaed tae the picters and the youth club thegither – jist young an carefree wi nae thocht o sattlin doon. Robbie did come an see me eence or twice in the hospital bit whether it wis a guilty conscience or the sicht o my battered face the visits seen fizzlet oot an stoppit. Ian wis made o sterner stuff an we war richt gled o him hurlin Mam back an fore tae the hospital. He kent Mam wis a widow an the buses warna handy. A hert o gold, she said, botherin wi an aul wifie.

Aa my sair bits seen healed up like they said they wid till I wis jist left wi this face. Nae that I wis ivver ony ile paintin, bit I wid o passed in a crowd as they say. It seems a nerve hid been connached an took awa my smile. As simple's that. Me, that wis aye sic a cheery body, hid been left wi a face that made me look as if I wis sookin a lemon! Try as I micht I couldna get that smile back an even if I wis roarin an lauchin I jist lookit like a Boxer chaain a wasp. I jist wisna me ony mair an it wis hard tae thole. My sister, Irene, didna help maitters ony. She's aye been a soor, aff-takkin vratch an my affliction gaed her plenty new ammunition. "Nae pint in takkin Muggie nae wye" (I hate being ca'ed Muggie) "Ye can see she nivver enjoys hersel onywye" or "Aye Muggie, I some doot ee'll land on the shelf. Fitna man wid wint tae wakken up in the mornin lookin at that face"? There wis plenty mair. God, she wis coorse. I files felt like pintin oot she hidna muckle chance in the mairriage stakes hersel, her bein eichteen steen, aye an gyan again, bit twa wrangs dinna mak a richt so I held my tongue. Ye wid near o thocht she wis jealous though fit o I canna think. An it widna o been fair on Mam haein twa dothers in the hoose nyarrin at een anither aa the time.

It wis a bit o a thocht gyan back tae my work bit, weel, there wis naething else for't. As I learnt fae my ain sister, fowk can be cruel an I wisna sure foo muckle mair nestiness I could stan. Bit I nott na o worriet. Athing wis gran an it wis as if I'd nivver been awa. I like the job an the quines an it wis fine tae be o some eese again. I wis sweer, though, tae ging back tae the badminton and the youth club so I took up wyvin an sattlet doon tae be an aul maid. Irene aye rubbit in what a gran social life she wis haein bit, tae be honest, sittin in the pub nicht efter nicht widna o been my cup a tay nae mair than playin badminton wid o been hers. Ian Fraser aye lookit in by tae see foo Mam wis an ae nicht, jist oot o the blue, he mentioned that the Young Fairmers wis haein a dance and did I fancy gyan. Me? Ging till a dance? Wi my face? Wid he nae be affrontit tae be seen wi sic a freak? Well, I got a fine lecture I'm tellin you – aa aboot beauty only bein skin deep or in the ee o the beholder an sic like an onywye he couldna see onything wrang wi me. I felt aboot sax inch heich or he'd finished bit the ootcome wis I gaed tae the dance – an fair enjoy't it. Naebody lookit the wye o me an I wis nivver aff the fleer. An there wis ither dances, an the picters, an runs in Ian's car (withoot Mam). Life wis back tae normal though we nivver forgot Jenny an aa the fine times she wis missin, peer quine. The day Ian proposed wis the happiest day o my life. Irene, of course, hid tae get her tippenceworth in. "Look at Muggie" she said tae Ian "Flashin a fancy diamond ring an her canna even raise a smile". By this time I'd stoppit lettin her bother me. She wis mair tae be peetied if the truth wis kent. Wi a fond look ower at my dear Ian I replied, "Oh but Irene, I'm smilin aa richt. Deep doon I'm smilin. An by the way, fae noo on my name's Margaret".

First prize-winner in 2007 Doric Festival Short Story Competition.

WRANG SPY

My bike's awa some nesty scoonrel's liftit it said Jack
It's a scunner I can tell ye haein tae tak shanks meer an walk
I've speer't at ilky een I've met gin they hid seen my steed
An the bobbies are oot lookin fae Drumblade tae Peterheid

So gaed the sorry tale he tellt tae the Reverend Sam McPhee
That's most unhandy, Jack, said Sam, I'll tell ye fit I'll dae
On Sunday I'll read oot the ten commandments fae the book
An keep a watch tae see fa maybe his a guilty look

Ye manna steal, ye manna kill, commit adultery
Een efter een he reeled them aff but as far as he could see
His words upon his flock hid nae effect, gaed ower their heids
An naebody hid the slightest wish tae confess tae dirty deeds

I see ye're on twa wheels again said the minister tae Jack
I doot wir plan worked efter aa, div ye ken fa took it back?
Naebody, ach I'm sic a gype, an may the Lord be thankit
As seen's you said "adultery" I mine't far it wis plankit!

THE CONUNDRUM

Rab kent he wis in for't the meenit he saw
The minister's bike clappit teet'll the waa
Nae doot he'd been clockin the maist o the day
Demolishin scones an howpin at tay

The Lord in His wisdom (for He wisna feel)
Kent feow in the howe attendit sae weel
An fine days at hairst bein scarce in supply
He'd nae grudge a Sunday aff shid it be dry

An as for the minister, he'd little adee
When he'd time on a Monday tae sit drinkin tea
Comin doon on fowk workin on God's day o rest
He'd be better tae pray for the weather tae lest

He micht haud a peer fairmer in higher esteem
Fa's pew on the Sabbath wid seldom be teem
Fa kent aa the parables like the back o his han
Fa wis rivin a crust fae the dour North-East lan

Intae siccan a pirr Rab got himsel vrocht
As an answer tae gie tae the mannie he socht
Syne, wi nae disrespect for his elders an betters
This conundrum he set him on spiritual maitters

Noo, minister, fit micht ye caa the worst sin
On a fine dryin Sunday wi crap tae tak in
Tae sit on the combine an think o the kirk
Or tae chave in the pew in a swyte aboot work?

THE BOTOX PARTY

I'm sorry, Jeannie's nae at hame
Said Davy till this strange like dame
I think she's up at Annie Mair
They'll be amon the Tupperware
Fit wye, gweed kens, we're chock-a-block
Wi ilka kine o plastic trock
Tho we see a hunner we'll nae use't
Bit a bargain canna be refused

It's me, said Jean, ye muckle goat
So it is, I thocht I kent the coat
Bit yer face, it's in an affa state
Did somebody mug ye at the gate?
Ye'd think ye'd gaen a twa-three roon
Wi Tyson an got knockit doon
Bit ye're gan aboot, it could be worse
I hope ye'd naething in yer purse

I'll mak yer tay, I've baked a scone
An tell ye fit's been goin on
We've Botox parties noo-a-days
Nae Tupperware or sexy claes
If for yer lang lost youth ye hunger
It maks ye look a feow eer younger
Wi aa yer craa's feet ironed oot
It's catchin on withoot a doot

Ye gie a body sic a shock
Wi a face that's like a skelpit dock
An you sae nice I widna care
Ye're nae my Jeannie ony mair
I doot ye've gaen a bittie far
E'er nae some Hollywood film star
Wi her nose shoo'ed up anent her broo
An tooks taen in aa roon her moo

Ye're a bonny fresh-faced Huntly quine
The wye ye war ye did me fine
If I didna greet I'd hae tae laugh
Foo lang is't or that stuff weers aff?
Yer plastic boxies I could stan
Or some mair paint an pooder – gran
But by common sense ye've been deserted
Aye, feels an their siller's easy pairtit

ROMANCE NO MORE

Back lang ago afore we met
I nivver missed a chance
Tae meet the quines – aa tippit up
For the usual Friday dance

An you an twa-three ither lads
Sheen polished clean o dubs
Afore ye faced the hoochin
Did the roon o aa the pubs

Till ae nicht at the Templar Hall
Wi the drams a touchie game
You took me up the hinmaist waltz
An socht tae see me hame

Ye'd tak me till the picters, files
Buy me sweeties, haud ma haun
Tak's a traivel in the meenlicht
Oh the memories are gran

In the back o yon aul Morris Eicht
We'd canoodle for a while
Wi een anither fair in love
We trippit up the aisle

The bairnies cam, they've flown the nest
We're back far we begun
An tho the twa o's get on fine
Fit happened till the fun?

When ither fowk's aa haudin oot
Us? Here we are at hame
Nae steaks an wine – jist Emmerdale
Ilka bloomin nicht's the same

Calm doon, calm doon, noo dinna fash
We'll ging oot on Friday nicht
An if ye're hame afore's ma quine
Leave on the lobby licht!

HIV EE SEEN THE CAT?

Hiv ee seen the cat? said Tracy tae Rog
She's been oot on the ran-dan aa nicht
Her bowlie o Munchies his nivver been touched
I hope the peer craitur's aa richt

It's nae neen like her tae be rakin aboot
She's usually hame till her bed
I doot she's fa'en in wi some roch toonser Tom
The state she'll be in I jist dread

She'll be covered in flechs fae her heid till her tail
Bits cha'ed oot o her luggies I bet
Some fool orra brute's teen advantage o her
That's anither accoont fae the vet

But we needna sit here gettin doon an depressed
She'll come hame when she's ready, nae doot
There's work tae be deen – time we wis awa
An wi that for the toon they set oot

Oh quine, dinna look, I've spottit the cat
It's her, aa richt ower the street
Run doon wi a motor she's stiff as a boord
Flat's a bannock, come on, dinna greet

Ging hame till yer mither an greet aa ower her
Said Rog wi tears in his een
Fit wis left o the cattie he pit in a box
Did athing that nott tae be deen

At nicht they got hame an there on the step
Sat pussy, howlin for maet
Far wis ye, grat Tracy, I winner, said Rog
Fa I peyed thirty powen tae cremate!

COUNTDOWN – TAE FIT?

When Countdown we switch on at half-past three
We spen an oor wi Carol, Des an Suz
An the adverts shown on efterneen TV

When we try an ait a hardie wi wir tea
Div wir false teeth rummle roon aboot wir moos
When Countdown we switch on at half-past three

Well, there's stuff tae stick them doon I'll guarantee
Tae shift again or coup they will refuse
On the adverts shown on efterneen TV

If a nesty bladder weakness garrs us pee
Ower incontinence pads we surely will enthuse
When Countdown we switch on at half-past three

An piles are hard tae thole you will agree
But there's tubes o this an that for us tae use
On the adverts shown on efterneen TV

Are wir jints that stiff we canna boo a knee
As wir soopleness we aa begin tae lose
When Countdown we switch on at half-past three

Still, there's things tae lift's fae bath-tub or settee
An a seattie up an doon the stair tae cruise
On the adverts shown on efterneen TV

Has hubby's libido gaen up a tree
There's a peel tae tak tae chase awa the blues
When Countdown we switch on at half-past three

Will wir siller aa ging deen afore we dee
There's plenty funeral plans for us tae choose
On the adverts shown on efterneen TV

Fit sad like sowels are we supposed tae be
Ready for the knacker? Nae good news
When Countdown we switch on at half-past three
An the adverts shown on efterneen TV

WAITING

Hiv ye ivver thocht as time gings by
An every minute seems tae fly
As grey an crochly we're aa gettin
Foo life's been maistly spent – jist waitin?

As seen's we're born we start tae wait
For bozies, admiration, maet
As bairns we glower up the lum
Willin Santa Claas tae come
An in wir teens we hing aboot
Romance we're waitin for, nae doot
For Mr. Right we wait a while
We wait tae trail him up the aisle
Wait for bairns tae flee the nest
Wait for retirement, for a rest
An aa the time we're on this earth
We wait for death, we wait for birth

We wait for buses, trains an trams
Wait in great lang traffic jams
We wait for kettles, pots tae bile
For visitors, a baby's smile
For seeds tae sproot, come throu the grun
For a shoo'er o rain, a blink o sun
Patiently, we wait in queues
At airport, chip shop, picture hoose
For ivver waitin on wir turn
As if we aa hid time tae burn

In doctors' dentists' waitin rooms
We flick throu magazines, twiddle thooms
We're on the hospital waitin list
For sic an age, hiv we been missed?

It seems we've aa been born tae wait
An when we're at the Pearly Gate
We wait till Peter shouts wir name
Till the end, life's ae lang waitin game

FRESHEN UP

The Grants fae Huntly ae fine day
Set oot tae ging on holiday
Tae Gatwick seven o them aa flew
For the flight tae see George in Baku

As ower they chaved tae Terminal Two
Some hinnerations they came through
And in a limp an wabbit state
They landit at the boardin gate

Said Mither, like a clockin hen
It's affa het an sweaty, ken
This airport's sic a tirin place
Fa wid like tae dicht their face?

I hiv some wipes, hing on a sec
As in her bag she hid a rake
An like a rabbit fae a hat
Produced them – giant size at that!

Noo help yersels, there's plenty there
Fifty maybe, aye an mair
Syne, thank god, somebody read the packet
An well, ye should o heard the racket

This wipes is nae for dichtin faces
They're made for sinks an sic like places
For scoorin athing in the kitchen
The very thocht o't his ye itchin

Instead o makkin's fresh an braw
They'd turn wir skin aa reed an raw
Wi a polish you'd get on yer knees
On the fleer wi plenty elbow grease

They'd beat Vim ony day by miles
On lavvy pan, ceramic tiles
The'd kill bacteria and germ
An microbes that wid dae ye herm

Pit on yer rubber gloves it states
Keep them awa fae bairns an pets
Watch oot, they'll maybe hurt yer een
Oh, Mither, fit hiv you near deen

They laughed an laughed or they war sair
At peer aul Granny sittin there
Wi a face as reed's a turkey cock
Tryin tae get ower the shock

She laughed hersel, she couldna help it
At seven dials like backsides skelpit
At fit she'd nearly chanced tae dee
POLISH AFF her faimily!

* * *

Now, you may think fae this lang saga
Mither's gan a bittie gaga
But she's mair blin each month that passes
An aye forgets tae wear her glasses
So, if she seems a hackie feel
Ignore't, the craitur aye means weel!

COORDIE WILLIE

Ye've heard, nae doot, o Tam o Shanter
Fa hame fae Ayr ae nicht did canter
The nicht wis dark, the oor wis late
Tam hidna listened till his Kate
But took an extra dram or twa
Lowped on his horse an set awa

Well, this is the tale o Willie Clark
A chiel that didna like the dark
His very shadda garr't him jump
He wis a muckle coordie lump

Ae nicht ten year ago an mair
At the Gordon Arms on the Square
A Burns Supper Wull attendit
An this is foo the evenin endit

The haggis piped in, grace wis said
Wi haggis, neeps and tatties fed
A plate o trifle foo o sherry
Twa-three drams, Wull felt real merry

Some fowk stood up an did their turns
Sangs an poems composed by Burns
An in the midst o aa the banter
A lad recitit Tam o Shanter

Yon affa tale o fit befell
A man that suppit ower much ale
An thocht he saw things in the mirk
By Alloway's aul hauntit kirk

The hairs rose up on Willie's neck
Till he wis jist a nervous wreck
That nicht the castle he'd tae pass
So he socht some courage in a glass

The nicht wore on, drew till an eyn
Anither drammie, Auld Lang Syne
Wull took his leave o his pal Dod
Jumped on his bike an took the road

Doon Castle Street an by the school
Throu the Arch Wull kept his cool
Till he near lowpit fae his jacket
Fit wis that infernal racket?

The flashin lichts, the urgent beat
Willie made a quick retreat
If he only kent, the muckle fool
It wis jist a disco at the school

He hit a hump for slowin cars
Gaed heid first ower the handle bars
Lost his front licht and his bonnet
Buckled his bike but leapt back on it

Some pipers in the Golf Club park
Were haein a tunie in the dark
Nae evil spirits sent abroad
Tae fleg peer cyclists on the road

Na Na, they'd jist been at a ceilidh
Piped abody till their cars richt gaily
Wi a fine display o jigs an reels
Wull thocht aul Nick wis at his heels

By this time he wis in a swyte
He couldna see withoot a light
An as he wobble't doon the brae
Tae the ruined castle aul an grey
His haggis nearly left his wime
His mind wis workin overtime

Fit affa things wid come his wye?
Fit gruesome sichts wid he espy?
Wid warlocks an craiturs queer an droll
Be dancin on the grassy knoll?

Wid a witch like Tam o Shanter's Nanny
Rin oot? His hert beat wisna canny
Tho he kent that she wid lose her power
If the Deveron briggie he won ower

An syne he noticed throu the trees
The ruins lookit in a bleeze
A flicker first then it grew waur
It wis jist the heidlichts o a car

Terrifeet, Wull could scarcely think
Fit wi fear an ower much drink
But he heard the water rushin by
An kent the Deveron Brig wis nigh

And as he skelpit ower't full throttle
He vowed he'd finished wi the bottle
An nivver mair wid Willie Clark
Bike hame fae Huntly in the dark

SPIKK OOT

Ye've got twa-three new skaalies, yer Daddy's aul sklate
A clootie for dichtin it clean
Stap them intae yer baggie, leave room for yer piece
An I'll tak the blaik till yer sheen

There's a war on, an coupons, oo canna be bocht
So I've wyved ye a jersey an socks
Fae a rippit oot graavit yer Granda eence wore
An yer gasmask's ben there in its box

Noo awa till yer beddie, it's saiven o'clock
Ye'll need aa the rist ye can get
It's a lang wye tae traivel for leggies that's short
An we canna hae you bein late

I can scarce tak it in that my wee quinie's five
Seems bit meenits ago ye war born
We've nivver been pairtit since first ee saw licht
Noo ye yoke at the skweelie the morn

Ye'll like the skweel fine, there's aathing tae learn
Foo tae coont, foo tae read, foo tae draw
That's a lot tae tak in an ye'll manage I'se warran
Bit I'll tell ye the warst bit o aa

It's aa richt sayin "faa" an "fit like" an "foo"
Here at hame or when you're oot tae play
Bit in front o the teacher it's "who", "how" or "why"
Ye'll nae pick it up in a day

Aye, ye'll chave wi the English the rest o yer days
Aa because the poo'ers that be
Think it's orra tae news like wir grannies afore's
When keepin polite company

An us fessen up tae spikk Doric for aa
Be we bairnies or fowk nae sae young
Are sweer tae stan up, mak a feel o wirsels
Think it's better, files, haudin wir tongue

So lass hae the courage, dinna be feart
Tae use't, jist mak yersel plain
An faa's tae ken, craitur, the fine hame-ower words
Micht be heard in wir skweelies again

A WASTE O SILLER

Tae say Dougie wis grippy, a hungry like chiel
Wis proved when aul Jock his best mate took nae weel
Took a turnie ae nicht, got cairtit awa
Tae ward eicht, Wideyn, nae neen great ava
If he'd aye been at hame, well Doug widna think twice
O visitin, bit Wideyn! wi petrol yon price
So he turned maitters ower in his heid lang an hard
Thocht the least he cwid dee wid be sen him a card

He wiled throu the stock in the shoppie for oors
Haudin by aa the pansy eens happit wi flooers
The dear eens, the eens wi lang verses in prose
The funny eens – weel he didna suppose
That Jock on his sickbed wis carin tae lauch
A waste o gweed siller thocht Dougie, bit ach
This een wi a view on the front o't 'll dee
An he grudgingly pairtit wi twenty five p

He met Muggie Anderson ootside the shop
She steed in in front o him, forced him tae stop
"Hiv ye heard the sad news aboot your aul freen Jock
He's died – ye've gaen fite – did I gie ye a shock"?
Dougie turned on his heel ran back tae the till
I just bocht this card for a lad that was ill
It's nae langer nott I wis winnerin" said he
"If ye'd swap it for een sayin DEEP SYMPATHY"

KEEP YER HEID DOON

I've been a member o the guild
Och, since nineteen seventy-three
Jist a common aucht-day member
Office-bearin's nae for me

They're forivver needin presidents
"A show o hans will dae"
I keep me heid doon an ma han
That's nae a job for me

An if a treasurer be nott
Or anither secretary
I hap ma face an naebody's een
Will ivver licht on me

They files need twa-three members
Tae ging on the committee
So I hide ahin the deem in front
An they've nivver pickit me

So I'll try the same if on his roons
The grim reaper I shid see
I'll coo'er weel doon ahin a stook
An he michtna notice me

HOOKED

At the fairm o Bogcloch awa doon by the Broch
Bides this dairy baillie ca'ed Charlie
Twice a day, rain or sin he's the coos tae caa in
Tae be milkit an fed a sup barley

It's files gie fool wark for the gate o the park
Is a potch o dubs, bree an sharn
It's nae bother tae Chae, tho, they're on tae clean strae
An sweelt doon in nae time I'se warran

There's Blackie an Jess, Matilda an Grace
Dolly Parton (her statistics are ample)
Snowdrop an Jeannie, Madonna an Teenie
Och, there's dizzens, that's jist a wee sample

Ae day last eer Maisie wis feelin richt phrasie
Efter aa, she'd been milkit an maetit
An a scratch an a clappie aye made her sae happy
The craitur enjoyed bein pettit

But as she bored by wi the rest o the kye
Bein freenly an affa ill-trickit
She steed on his corns syne een o her horns
In his galluses somewye got clickit

The coos made for the door wi a moo an a roar
Doon the closs like a wild west stampede
Charlie rinnin like crazy tae keep tee wi Maisie
His galluses stuck till her heid

He pichert an hauled – her speed nivver devalled
He'd resigned himsel till his fate
When the button did snap an Charlie gaed sclap
Face doon in the dubs at the gate

Watched by Maisie the coo, a daud girse in her moo
A twinkle, nae doot, in her ee
Charlie steekit his nieve, roared "As lang as I live
Nae mair bosies will ee get fae me"!

LIFE'S A DANCE

Set tae yer partner – Do-si-do
Twice roon the hallie – aff ye go
Be a wallflooer – nae for lang
Try a different waltz tae a different sang
Different oxters – change o wife
A Paul Jones noo-a-days is life

Fae lad tae lad licht hertit trip
Start anither partnership
Roon he'll swing ye – to an fro
Licht heidit wi the birlin – o
Paddy ba, tae an heel
Could life be ca'ed an Eightsome Reel?

He sees ye hame, he's there tae bide
Baffies sittin side by side
But – ae skite on the slipperine
He's aff the fleer – aff the scene
Dinna thole his nesty faults
Life's an Elimination Waltz

A feow mair turnies roon the fleer
A quickstep there – a foxtrot here
Tryin aye tae get it richt
Like boaties passin in the nicht
Anither heid on anither pilla
Aye, life's jist ae lang Strip the Willa!

CPL JOHN MCWILLIAM

Corporal John McWilliam, fa wis he?
A strappin sodger chiel – a Gordon braw
A young man, quinie, nivver aul like me

Wis he a freen, this lad, tae you an me
Fit cam o him, his face I nivver saw
Corporal John McWilliam, fa wis he?

My brither, he's in Ypres ower the sea
Wir mither grat the day he mairched awa
A young man, quinie, nivver aul like me

Granda, hid he a wife an faimily
Hiv I got cousins, shid I ken them aa
Corporal John McWilliam, fa wis he?

He sacrificed aa that tae keep us free
Nae hame an bairns for him, nae life ava
A young man, quinie, nivver aul like me

I've seen his name in Tynecot Cemet'ry
Nae cross for him, ae line, jist, on a waa
Corporal John McWilliam, fa wis he?
A young man, quinie, nivver aul like me

Corporal John McWilliam was my uncle. He fell at Ypres in 1917 when my father was 13. This is an imaginary conversation between my father (who lived to 92) and one of my daughters written in the form of a Villanelle.

BEN THE WATER SIDE

As the water tummles on fae steen tae steen
The trootie loups tae nab a flee or twa
It will, the morn, as it did yestreen

Man's orra rubbish desecrates the green
Trock drappit there, fowk dinna gie a daw
As the water tummles on fae steen tae steen

But the humble gowan bravely blooms its leen
Amon the bottles till its petals faa
It will, the morn, as it did yestreen

Graffiti sprayed by coorse young scoondrels keen
Tae show aff – damn't they canna even draw
As the water tummles on fae steen tae steen

Names carved upon a tree aneth the meen
Hairts entwined say true love conquers aa
It will, the morn, as it did yestreen

There's nae a lot o ill that man has deen
That Mither Nature canna dicht awa
As the water tummles on fae steen tae steen
It will, the morn, as it did yestreen

THE NEW BORN BAIRNIE

Unheedin o the wins that sooch an blaw
His mither sittin prood like an sae brave
The new born bairnie's sleepin in a staa

She taks him tae her breist, content his craa
He nuzzles there, his steekit knievies wave
Unheedin o the wins that sooch an blaw

Some shepherds hear the news in fear an awe
Doon tae the byre they skelp wi crook an stave
The new born bairnie's sleepin in a staa

King Herod sens three wise men fine an braw
"Fin oot aboot that littlin" is his crave
Unheedin o the wins that sooch an blaw

Wi myrrh an gowd an frankincense they faa
Upon their knees in homage wi the lave
The new born bairnie's sleepin in a staa

His destiny obscure, an enigma
Oblivious tae the world he's come tae save
Unheedin o the wins that sooch an blaw
The new born bairnie's sleepin in a staa

MAD MAC AN ROSIE

Mad McKinnon wis a singer wi a fancy backin group
They ca'ed themsels Peathowkers – a maist unlikely troop
Ae day richt anxious tae mak sure o good publicity
For their latest gig in Cairnie they war winnerin fit tae dee

"I ken" said Mad McKinnon, "this plan shid dee the trick
We'll use some local talent, a bonny country chick
Pit posters up in Ruthven on ilka Hydro pole
Jist wait, the fans in hunners tae the hallie they will roll"

Next day upon their travels an heidin ower tae Glass
They landit at the Ashgrove far they found the very lass
Ahin the coonter dishin oot the tattie soup an tea
She wis foo a chat ye couldna doot her popularity

McKinnon got her by himsel an speered if she could sing
"Michty aye" the quine replied "sure as Elvis is the King"
An by the time they'd supped their broth an teemed the
   hinmaist cup
They'd sattled terms tae suit them aa an Rosie wis signed up

Twa Ruthven wives gan knypin by tae catch the Huntly bus
Saw a boorach roon a pole winnert fit wis aa the fuss
They read McKinnon's poster hid tae lean against a hoose
Wi shock – for starrin in this show wis vocalist Rosie Bruce

The wifies leuch or they war sair an not an ee wis dry
Or pair o bloomers come tae that, the bus gaed dirlin by
The eerans aa forgotten they couldna dee bit greet
At the thocht o Ruthven haein a Madonna in the street

Faa dis this mannie think he'll tryst doon till the village hall
Tae listen till oor Rosie on a nicht o frost an caul
She canna sing for sweeties – she's like a corncrake
McKinnon an his howkers are in for some begeck

Aul Willie Scott hid aye maintained he widna need TV
If he hid Rosie in the hoose sae shortsome she could be
An mony a truthfae word they say is blootered oot in jest
If Willie's lookin doon he'll see her up there wi the best

Near aa the larry drivers hiv a banter an a laugh
Wi Rosie when they're sittin at their denner in the caff
We ken said they she's been endowed wi a tongue for
  clippin cloots
An a hert o gold tae ging wi't – but a singer? We've wir
  doots

She can wive at hairy hippins for us trucker lads tae weer
When posin in the buff for the calendar at New Year
But she'll nivver manage opera, be a karaoke queen
Be a mover or a shaker on the world's show biz scene

For she's nae a Dolly Parton wi a muckle balcony
A Spice Quine like a hairpreen that looks like she cwid dee
O Rosie quine gie Mac the boot, ye're natural an bonny
Bide far ye are amon the stovies, pies an macaroni

Speer at onybody at the Ashgrove, Rosie's sic a tone deaf
deem
The only place she gets tae sing's in the cafe when it's teem
She'll nivver see her name in lichts, mak muckle o a livin
But, Madonna, weel, she's nivver been up a pole in Ruthven

For those unfamiliar with the area, Ruthven is pronounced "Rivven"

HUNTLY PIPE BAND AT BALMORAL

"Balmoral here" the message read
Straicht fae Her Majesty
"I've heard so much about your band
Will you come and play for me?"

Noo here's her knypin ower the lawn
Wi Derek and his mace
As Hamish dis the honours
Pride written on his face

He invites her kind inspection
She moves amon the ranks
A feow words here, a noddie there
Encouragement and thanks

She's reesin oot the pipers
She his mony a favourite tune
And the drum corp's rhythm she declares
Shook Balmoral till its foun

Wid ye tak it in! she's shakkin hans
Wi piper Jimmy Horne?
Near ninety, she can scarce believe't
Sae weel the mannie's worn

The turnoot's fair impressin her
The Gordon tartan's braw
She's nivver seen a bonnier sicht
Aneth the castle waa

She taks her leave, says "Cheerio"
Foo pleased she'd been they cam
An foo the Duke will fair enjoy
The shortbreid and the dram

As the band's aboot tae celebrate
Its Diamond Jubilee
Tae get royal recognition
Fit better could there be?

Wi memories and happy herts
Hame they dirl ower Coldstone Brae
Aye, it wisna jist Her Majesty
That enjoyed a special day

DAVIE'S DIY

This is the sorry tale o Dave
A hanless chiel that tried tae save
Some siller so he thocht he'd try
Tae dee a spot o DIY

Wendy, his lang-sufferin wife
(She hisna hid an easy life)
Hid tried him twa-three year afore
Tae tidy up the bathroom door

It wis an eyesore so she said
She widna pit it on the shed
For strips o paint were peelin doon
In fite an yalla, green an broon

Ae day wi Wendy at her work
Davie – nae a lad tae shirk
An nivver deein things by half
In nae time hid the hale door aff

He set it up against the waa
Gaed his pow a wee bit claw
Gaed Boobs a phonie till enquire
Far a stripper he micht hire

Great, said Boobs, noo fan's this do
Is't a party or a barbecue
I've tae strip the lavvy door said Dave
I dinna wint tae haud a rave

Nae bein intae forward plannin
A fortnicht saw the door still stannin
Jist in the road – a blinkin scutter
Fit noo? Dave he wis heard tae mutter

Said Wendy I've jist hid my fill
As seen's ye're hame fae that sawmill
Ye sit an sleep an watch TV
An not a han's turn div ye dee

That bloomin thing fair blocks my lobby
It must be quite a simple jobbie
Tae strip a door doon till the timmer
It shouldna tak ye half the simmer

It's affa when I need the loo
I hiv tae sit there in full view
An when I wint tae hae a bath
I'm feart tae tak my goonie aff

When I've my pals roon for a nicht
They use the bog withoot a licht
They'd get mair privacy I'll sweer
At Castle Street or the Market Meer

Yer dothers Simone and Denise
Young an with-it, ill tae please
Are black affrontit it's nae lee
In sic a public WC

So Davie, it's nae much tae ask
For you tae finish this wee task
This missin door is sic a scunner
I'm tempted, files, tae dee a runner

It took a gweed sax month it's true
An twa-three trips till B&Q
Tae get that door back on its hinges
Paintit in bonny pastel tinges

Noo Wendy his nae room tae moan
For when she's sittin on the throne
There's nae a caul draught roon her dock
An there's a door tae shut an lock

50 YEAR ON

It wisna love at first sicht, jist a spark
That bleezed up as though flaffert by a fan
It creepit on them thief-like in the dark
Sae douce until the truth began tae dawn
She wis the een tae gar his pulses yark
An he wid be her lifetime's mate, her man
She wis a quaet bashfae country quine
He a sodger lad that coortit her lang syne

A gallus chiel, files ill aboot a dram
Like the win upon his motor bike they raced
The lassie's fowk war fearfu for their lamb
Their first-born, weel, for her they socht the best
Fowk voo't, although they didna gie a damn
Well that's ae mairrage that'll nivver laist
They're aye thegither half a century on
Wid ye say that in the eyn true love has won?

We celebrated our golden Wedding in 2007. The above poem is written in the form of an ottava rima.

Previously Unpublished

A DISTANT DREAM

Noo's the time tae see the world min, dinna miss't
They say it shid be by come Christmas Day
This war tae eyn aa wars – look oot yer kist
A better chance tae live we'll nivver hae
We'll haud intae the toon the morn an 'list
We winna tell wir fowk they'll only say
Ye've plenty time loons pit aff yer fancy scheme
Tae ging tae foreign lands – it's bit a dream

But Europe wisna aa they'd thocht 'twid be
Nae glory in the killin fields o bleed
Awfy souns an sichts nae man shid see
Comrades lyin broken wi the poppies reed
Each innocent young chiel sent oot tae dee
Wi thochts o hame birl birlin throu his heid
Nae birdies singin, jist the bullets' scream
Aye, it hid feet o clay that distant dream

That hellish war ca'ed the world aff its feet
Left a generation o bairnies nivver born
Left grievin mothers owercome at tae greet
Took aa the hopes fae sweethearts left tae mourn
Not a hame it left untouched on ony street
Not a faimily did it fail tae leave forlorn
Fine bonny loons o ilka howe the cream
Hame comin wis tae them a distant dream

A FAIR COP

When Mither got up she wis foo o the joys
Till her dother looked sidelins an said
When ye raise this morning wid it be the case
Ye got oot the wrang side o the bed

There's nae muckle wrang wi my humour the day
What an impident thing tae be speerin
Well Mither I canna be blamed for my thochts
That's the lodger's carpets ye're weerin

A SLIP O THE TONGUE

John hid aye been fair daft on his roonie o golf
Ilky meenit that he hid tae spare
He wis hackin yon baa fae bunker tae green
Noo he's trampin the fairways nae mair

For John took a turnie a fortnicht ago
Tint aa fooshion – gaed intae decline
Fine he kent that fae him life wis ebbin awa
That he hidna much langer tae pine

Said he till his missus, a weel set up deem
"Ye've been sairly neglectit my lass
Wi me an my golf – so when I weer awa
An a decent like time's come tae pass

Ye'll mairry again o that I've nae doot
Ye're young yet when aa's said an deen
Ye ken ye've my blessin fa-ivver ye pick
Tae full my bed an my sheen

He can sit in my cheer hae a shot o my car
Watch my telly – it's een o the best
Fit I dinna see winna bother's ava
Tho I hiv jist the ae wee request

Ye're nae tae let him hae a turn o my clubs
The thocht o't wid trouble me sair"
"Nae need tae fash John, yer clubbies is safe
Him bein a left-handit player"

A GWEED TURN

Fred and Tom hid been workin in Grantown-on-Spey
An set oot hame tae Huntly tae haud Hogmanay
On a gran efterneen that wis sunny an bricht
But Dufftown wis beeriet in snaa – what a nicht

"We'll nivver see hame" said Tom till his pal
"Nae wye will this Fordie ging ower the Corsemaul"
"There's a licht in a windae ower yonder" said Fred
"I'll gie them a chap an speer for a bed"

She wis bonny the deem that cam ben an weel dressed
When Fred catch't his breath he made his request
Tae gie a nicht's lodgins could she see her wye
"Weel the neighbours micht spikk" wis the wumman's reply

"It widna be proper, it widna be richt
For me tae hae men in my hoosie aa nicht
I'm jist newly widowed – but if ye're fair stuck
Ye can sleep in the barn – I've jist threshen a ruck"

"But come awa in an hae a sup tay
Syne bed yersels doon in the sweet smellin strae"
So efter a supper o kebbuck an breid
They were oot like a licht, slept the sleep o the deid

Nine month an a bittie hid passed when young Fred
Said tae Tom "Mine the nicht o yon storm when we bade
In the strae in the barn at the Mains o Drumspruce
Did ee rise in the nicht an ging intil the hoose?"

Tom glowered at his beets "I micht o" said he
"An by ony chance did ye mak on ye wis me?"
"Weel fit if I did, I meant ye nae hairm"
"Fine, the wifie's jist dee't an left me her fairm"

A MAN NAE A MOOSE

They war styterin on by the licht o the meen
Sweer kine tae pairt, the news far fae deen
This wis them getting hame though the mart wis lang by
They'd the sheep tae discuss, the peer price o the kye

Said Peem, "I've a bottle o malt in the press
Foo nae come in by an sample a gless"
"Are ye sure" speer't Sandy "my grumpy aul dame
Wid ging intil a sulk if I trail't you eens hame
In the deid o the nicht, aye I'd guarantee
She wid ging twa-three wikks withoot spikkin tae me"

"Lucky you" brook in Jimmy, "a file's peace wid suit's
Mine wis cursed wi a tongue made for clippin up cloots
If I stepped oot o line, my missus I'd sweer
Wid be castin't up, aye maybe this time next 'eer"

"My Dot's a wonderful wumman" blew Peem
Made bold wi the drams "Yon lass widna dream
O compleenin, so come awa intae the hoose
An onywye, I'm a man nae a moose"

He opened the door but aa they cwid see
Wis Dorothy, dressed like a walkin marquee
Fullin the lobby in her wincey goon
Wi a face tae garr ony man shakk tae the foun
Huddry heid fu o curlers, she'd airms like a man
A rollin pin steekit in her muckle han

Peem gaither't his wits, gaed his crap a bit redd
Turn't reed-faced tae Sandy an Jimmy an said
"I tell't ye my Dot wis a bit o aa richt
Fa else wid be bakin at this time o nicht?"

A VILLANELLE ON REACHING THE AGE OF SEVENTY

Seventy, aye, say the jints an the beens
As I hirple aboot wi my staff
But I'm still young at hert – jist a quine in her teens

It's a chave, I'll admit, getting intae my jeans
"At your age?" ye say – dinna laugh
Seventy, aye say the jints an the beens

Tho the Wranglers fit fine held thegither wi preens
They're a helluva job tae get aff
But I'm still young at hert – jist a quine in her teens

I'm aye ready tae try different ploys an new scenes
Dinna flap like a hen in a flaff
Seventy, aye, say the jints an the beens

I jist charge up my mobile an text aa my freens
Wi my news an my gossip an chaff
For I'm still young at hert – jist a quine in her teens

In my time I've seen plenty caul winters, new meens
Made mony a blouter or gaffe
Seventy, aye, say the jints an the beens
But I'm still young at hert – jist a quine in her teens

AN HONEST MISTAKK

'Twas on a day o bleezin sun
The car hotter't till a stop
When Willie, riggit in his shorts
Drapped his missus at the shop

It widna start nae matter foo
He fichered – fit wis wrang
Ging in an dee yer eerans, quine
This shouldna tak ower lang

On the wye back, aa o Wull she saw
Wis a pair o hairy legs
Aneth the car syne she near drapped
A dizzen free range eggs

O michty, he's nae weerin draa'ers
She gaed her han a dicht
Stuck it smairtly up his shorts
Tucked aathing oot o sicht

The jobbie deen she lowpit up
Met Wull – wis her face reed
An the peer AA mechanic
Nott fower stitches on his heid

CHRISTMAS CRACKERS

Noo abody looks forrit tae Christmas TV
Black an fite films, the Queen's speech at three
Syne Hogmanay, well, it wid be affa queer
Withoot music at twelve tae see in the New Year

But the wikk afore Christmas oor telly gaed caul
We'd hid it three year so it wisna that aul
But the screenie wis blank, it let oot twa-three "phuts"
So we kent there wis something far wrang wi its guts

The TV mechanic, a richt enough man
Unplugged it an cairtit it aff in his van
Tae be tried oot an testit await diagnosis
An wait for a transplant a body supposes

So there in the workshop the peer thing did sit
Ower the hale festive season awaitin a bit
While we sat at hame wi a bit empty neuk
The radio on an wir nose in a book

Oh Granda, that computer o yours is richt slow
If you changed tae Broadband it fairly wid go
Said Amy, wi Lyn sittin noddin aside er
Jist leave it tae us – we'll find a provider

In nae time at aa (that quines dinna tooter)
A parcel arrived wi a fancy new router
Thocht Granda, my Christmas this year will be merry
I'll jist get a haud o my pal Allan Cherry

Allan fichert aboot wi screwdrivers an plugs
Wires an instructions near up till his lugs
At last, wi a flourish, the work wis complete
He switched on but Broadband hid missed B'field Street

He phoned back an fore till an English like craitur
Tae try an jalouse fit on earth wis the maitter
But the man wisna keen tae admit ony blame
Said it aa wis the wyte o the saftware at hame

Anither wee boxie it cam in the post
But it made nae odds, the connection wis lost
Allan twiddlet an fichert and twiddlet some mair
But ae thing wis obvious, Broadband wisnae there

So Christmas and New Year they came and they went
At a snail's pace the seasonal messages sent
An sivven days intae Twa Thoosan an Eight
For Broadband peer Granda continues tae wait

I've twa pair o specs, I need them tae read
There's aye een o them lost – I wid tine my ain heid
But ae day a fortnicht afore the New Year
I drappit a pair on the hard kitchen fleer

Noo naething will rise fae ceramic tiles hale
So the specs stood nae chance, they lay far they fell
Wi the plastic frame split, a lens hingin oot
So I wis reduced tae the ae pair I doot

At the service on Christmas Eve I'd teen in han
Tae read oot a poem, well that wis the plan
I'd tae park hin awa, the streets were aa packit
What a gweed job I hid hurlt an nae wakkit

As I checked I wis riggit – a canny like deem
It came till my notice the specs case wis teem
Aye well, there wis only masel I could blame
I wis doon at the Kirk an my specs were at hame

The Man fae Delmonte aye says he gings oot
Tae see if it's time tae be hairstin the fruit
He squeezes the tangies gies the peaches a powk
Tae mak sure they're perfect for ill tae please fowk

Noo I'm nae neen fussy – ye jist need tae ask
But ae day last hairst he fell doon on his task
For thanks tae that mannie my teeth gey near had it
His pears were like neeps an the trifle wis bladdit

But abody's weel an deein jist gran
We've plenty tae ait an a powen in wir han
An we'll lauch next year when athing gings better
For fit div sic mild inconveniences maitter

DEID SLOW

Chae wis good on the fleer at the Setterday hop
His waltz an his jive were richt classy
Fit's mair he didna look short o a bob
An he seen catch't the ee o this lassie

She speer't gin he fancied a turn roon the hall
Thocht weel deen, Ye've landed some honey
Ye can see me hame at the eyn if ye like
She aye hid a nose for the money

Noo that's you hame he said at her door
An gaed her a half-hertit bosy
Ye can bide aa nicht (she wisna neen slow)
My bed's baith comfy an cosy

He wis een o yon slow breets wi ticht apron strings
That at thirty still bide wi their mammies
Aye, fairly, I'll bide if ye wint company
But I'll need tae nip hame for my jammies

DAM THAT

It's been some day o heat
Said Betty tae Pam
Come on we'll queel doon
Wi a dook in the dam

They hidna their dookers
But wi nivver a qualm
They cast ilka cloot
An dived intae the dam

As the twa of them guddled
An puddled an swam
In aboot cam this mannie
Hid a glower in the dam

Got sic a begeck
Near gaed intil a dwam
I've nivver seen mermaids
Afore in the dam

I'll keep oot o sicht
Ahin this aul pram
Syne I'll get a richt show
When they rise fae the dam

But his hopes were in vain
When Betty roared "Scram"
Ye've nae business watchin
Fowk in the dam

"Ye're jist naething mair
Than an aul peepin tam
Be aff wi ye-shoo
We war first in the dam"

"Na na" said the mannie
"I'll bide far I am
Ye're bound tae get caul
An come oot o the dam"

It seen became clear
That Betty an Pam
Hid nae intentions
O leavin the dam

There wis jist ae thing for't
He wid think up a scam
Tae tryst them bare nyakit
Oot o the dam

Noo foo wid he get himself
Oot o this jam
I ken I'll fleg them
Oot o the dam

He shoutit "Noo dinna be feart
Jist keep calm
But hiv ye seen my pet crocodile
It bides in the dam"

DEAR MITHER

Dear Mither here's a twa-three lines
Fae somewye ower in France
Far the Kaiser and his cohorts
Hiv led us a merry dance

I cwidna wyte tae dicht the dubs
O Scotland fae my beets
But in this God-forsaken howe
They're hine up ower my queets

The trenches crawl wi vermin
Ye nivver saw sic rats
An there's flechs the size o gollachs
Bite bitin throu my spats

I ken I scunnert at the hyow
Or stookin in the rain
But if I get oot o this place hale
I'll nivver girn again

For the green parks o Strathbogie
Wid be like heaven tae me
Oh Mither foo I wish I cwid
Come hame an tak a fee

Foo's abody deein on the craft
His Faither aye yon hoast
I hear Dod Smith has copped it
His fowk'll be gey lost

An fit aboot the young eens
Has Maggie got a place
Thank God Bill's nae aul eneuch
Tae face fit I've tae face

That's aa I hiv tae say for noo
But this war will seen be won
Dinna worry, Mither, I'll be fine
Fae John, yer lovin son

DINNA BLAME SOOTY

O it's you, Mr Scott, I'm gled ye've come by
Will ye tak a wee look at my cat
She's nae been hersel this last twa-three days
An she seems tae be rinnin tae fat

Ae look at the pussy wis aa the vet nott
Fit wis wrang ony feel wid o kent
Yer cat's haein kittlins o that there's nae doot
She's expectin a happy event

Well ye canna say that – Fluffy nivver gings oot
She widna say boo till a moose
She sits on the mat there in front o the fire
An uses her box ben the hoose

Aa she's fit for is sleepin an aitin I'se warn
Or giein the antrin bit purr
Aa the mice roon aboot wid dee o aul age
If aa cats wis as lazy as her

The vet kent he wis richt, took a scrat at his lug
A look roon – an there on the daise
A muckle black tom cat wi fuskers sae snod
Sat idly washin his face

An fit aboot him? He'd haen something tae dee
Wi the fact Fluff'll seen be a mither
Well that's far ye're wrang – what a thing tae suggest
It's impossible – Sooty's her brither!

DIV YE KEN?

Fit did Einstein invent, Dad?
Far's Scotland's biggest toon?
Foo div ye spell diarrhoea?
I cwidna say, ma loon

Faa wrote Robinson Crusoe, Dad?
Foo much is ten times three?
Fit's a baby puddock?
Noo son ye're baffling me

Fit's the capital o France, Dad?
Faa held oot his dish for mair?
Far aboot's the Taj Mahal?
I doot ye've got ma there

I hope ye dinna mind, Dad
Aa this questions, said the bairn
Michty no, jist speer awa
It's the only wye ye'll learn.

FA WINTS TAE BE A MILLIONAIRE?

CHRIS: Good evenin. Welcome tae Fa Wints tae be a Millionaire. My name's Chris Auld-Farrant an the nicht we hiv Teenie Thamson back again. Ye'll maybe mine on Teenie – she stuck on the hunner poun question last wikk so we're giein her anither chance. Teenie bides in the Cabrach. She's mairriet tae Willie an his nine bairns, ten cats, twa dogs, a hunner hens, a bull an a herd o Friesian coos. Willie's nae here the nicht. He's bidden at hame tae be a phone a friend an onywye een o the coos is like tae calve at ony meenit. Now Teenie, are ye ready for't?

TEENIE: Aye

C: I hiv tae explain wir fancy boordie wi the questions on't his broken doon so I'll jist hae tae read them oot. Are ye feelin nervous?

T: No

C: Right then – for a hunner poun (an mine an get it richt this time) Fit's the capital o Scotland?
Is't Edinburgh, Glasgow, Dundee or Huntly?

T: Oh that's a coorse een! (she goes over them one by one) I dinna wint tae waste a lifeline. It's nae Huntly, I ken that. It's the capital o Aiberdeenshire. Ach, I'll chance Edinburgh – ye said it first an it's nearest the beginning o the alphabet.

C: Weel deen, Teenie. Ye've jist won a hunner poun. Noo if ye win a lot o money fit div ye think ye'll buy wi't?

T: Oh definitely a new milkin machine. Milkin aa yon coos twice a day fairly goes for yer hans.

C: Souns good tae me. Now for twa hunner poun – Fit wid ye dee wi a sheltie? Play music on't, weer't, hurl on it's back or ait it?

T: Oh that's easy. We've a sheltie at hame that's that thin ye could play a tune on't an it wid be gie tyeuch aitin. So though I micht hae a chave getting on I wid hurl on its back.

C: Good for you – that's twa hunner poun an nae lifelines used yet. I hope Willie's sittin aside that phone.

T: I wid hae ma doots. We've an affa crap o plums this eer an Willie winna bide oot amon them. He'd a richt sair belly when I cam awa an I widna like tae guess far he micht be sittin.

C: Oh dear! Right, on wi the show. For three hunner poun – Fit's the Prime Minister's last name? Is it Broon, Cameron, Thatcher or Churchill?

T: Oh ye've got ma there – I'm nae muckle eese at politics. We dinna ging in for that kine o thing in the Cabrach. I doot I'll hae tae ask the audience.

C: OK Audience – see if ye can help peer Teenie oot here. Fit's the Prime Minister's last name. Is't Broon, Cameron, Thatcher of Churchill? Jist shout oot the answer if ye think ye ken't.

T: Thank you, I'll play. I'll go for Cameron.

C: What a clivver audience – ye wis quite correct. Teenie, ye've jist won three hunner poun. I dinna think Mr Cameron wid be affa flattered that ye'd nivver heard o him though.

T: Oh, I've heard o David Cameron – he's een o yon comedians isn't he?

C: What a wumman ye are Teenie. Noo the questions fae noo on will be a lot mair difficult. This een's for five hunner poun – Fit's the name o the Loch Ness Monster? Is it Jessie, Nessie, Bessie or Tessie?

T: Ye're nae kiddin aboot them bein difficult! If I'd been at hame at Middenheid, Upper Cabrach I wid o got this nae bother. Noo let's see I'll try the scientific approach – eenie, meenie, minie, mo. Nessie – that's my final answer.

C: Richt again. That's five hunner poun ye've won. Yer new milkin machine's in the bag an there micht be something left ower for a wee luxury till yersel.

T: Well, I'm richt sair needin a new pair o wellingtons. There's an affa dubs at Middenheid an there's a great muckle hole in the tae o my aul eens. Anither thing I could be deein wi is a new egg pail. The hannle keeps comin aff o the een I'm usin an it's a richt scutter.

C: I can see you're gan tae be hittin the shops, Teenie. Noo this next question's for a thoosan poun – Fa's the patron saint o Scotland? George, Patrick, Andrew or Jeffrey?

T: Oh me! There's neen o them rings a bell. Patrick noo – that souns a bittie Welsh so we can rule it oot. Saint George – that disna soun richt an aa the Jeffreys come fae England so it his tae be Andrew. I'm gan tae gamble – Andrew.

C: Foo div ye manage't. Ye're richt again! Noo we'll press on wi the twa thoosan poun question. Which o the followin's nae a fish? A hake, a kipper, a puddock or a heerin?

T: Abody kens a hake's far ye pit the strae for the nowt. Ye can ait a kipper an a heerin bit ye canna ait a puddock. Naebody in their richt mind wid ait a puddock. Gyaad! I'll hae tae go 50 – 50.

C: The 50 – 50 machine's nae workin either bit we've tae tak awa hake an heerin.

T: Well that's my idea oot the door – if it's nae hake it'll hae tae be puddock. That's my final answer – puddock.

C: She's done it again. Is there nae eyn tae this wifie's talent? That's twa thoosan poun ye've won noo Teenie. Enough for a wee holiday, maybe?

T: Holiday? Fit's that? Oor holidays is a day oot at Keith Show.

C: Ye'll jist need tae work on Willie I doot. Noo div ye fancy a shottie at the fower thoosan poun question?

T: Aye fairly.

C: Right, here goes. Fit's the highest mountain in Scotland? Is it Ben Nevis, Tap o Noth, Lochnagar or the Clashmach?

T: Hinna a clue. I'll hae tae phone a friend. I'll phone Willie – nae that he's files aa that freenly.

Hullo, Willie, it's me – foo's yer belly? Good, I'm gled ye got relief. Noo, can ye tell's fit's the highest mountain in Scotland? Fit wye am I needin tae ken? Nivver mind fit wye I'm needin tae ken. Is't Ben Nevis, Tap o Noth, Lochnagar or the Clashmach?

He says Lochnagar's oot for a start – it's nae a hill – bit he his nae idea an neither hiv I so I'll jist tak the siller an haud awa back tae Middenheid an ma new milking machine!

FLY

This roch haired collie dog ca'ed Fly
Thocht lang for happy times gaen by
Mollached aboot his leen fair tint
For ach, his hert it wisna in't

Mair ees't tae gaitherin the yowes
Awa hine up the hills an howes
The days took weary oors tae pass
Since aul Jock flittit in fae Glass
Till a sheltered hoosie in the toon
Peer Fly, at hert a country loon
Jist cwidna thole yon noisy place
Nae open parks, nae cats tae chase

He sat an mumpit, hingin luggit
Till Jock, he cwidna be humbuggit
Wi aa this sulkin, coorse ill naitur
Wid fix the lead an tak the craitur
A traivel ben the Bogie side
Bit Fly, he thrawed at bein tied
An feelin ill-deen-til, misfittit
Trail't his feet an pull't an tittit
When he wis workin wi the yowes
He'd haen nae need for chines an tows
A fussel or a sharp "come by"
Wis tow aneuch tae tether Fly

Syne he wis pitten in ill teen
For ony time his business deen
Fit he left wis pickit up by Jock
Still rikkin, in a plastic pyoke
It widna dee tae leave a soss
The toon's nae like a fairm closs
Bit affront! Fit cwid a doggie dae
When faced wi sic indignity

So ilka chance that cam his wye
Oot o that lead an aff set Fly
Awa fae aa yon hurryin fowk
Tae look for rabbit holes tae howk
Some freedom fae yon livin hell
An Jock jist knipit on himself
He didna blame his faithfu pal
Fa like himsel wis growin aul
Fa's wyes, like his, war lang syne set
Confinement in fower waas his fate

Noo in Glass there's nae a lot o steer
So Fly hid nae in-biggit fear
O traffic, naa the careless tyke
Wid step in front o car or bike
Leave devastation in his wake
As fowk wid swerve an jink an brake
An steek their nieves an shout an sweer
As roon the dog they tried tae steer

Ae day he spied this bonny bick
Wis efter her at sic a lick
A passin motor knocked him fleein
Jock stroked his lugs as he lay deein

Bit dinna ee greet an grieve for Fly
In his new hame up in the sky
Jist picter him his feathery tail
Waggin as faist as ony flail
His cockit lugs his dancing ee
Lookin for some ill tae dae
A waff o win upon his face
Aa the cats he'd wint tae chase
Yowes an lammies by the flock
He canna wyte tae sen for Jock

FOR PATRICIA

On an impending marriage

When Willie got doon on his knee
Said "Patricia, will ye mairry me"
Ye respondit, bein neen ower shy
"Get up, ye feel, the answer's AYE"

He gaed ye an engagement ring
A diamond, sic a bonny thing
An that wis fan the steer begun
The start o aa the weddin fun

First ye hid tae pick a date,
Frocks an invites, fancy mait
Yer news wis aa aboot fite goons
Hotels an bands an honeymoons

Ye hid a job tae concentrate
Upon yer work – that special date
Wis aa that you hid in yer heid
Nae the affairs o fowk that's deid

But eence the happy day is past
An you are Mrs A at last
Ye'll settle wi yer usual ease
Tae Wills an ledgers, inventories

Tae ither fowk it's plain tae see
There is that special chemistry
Atween ye baith – it's sic a blessin
Foo dis't happen – there's nae guessin
Jist pit it doon tae luck or fate
An mak the best o fit ye get

As Mr an Mrs – man and wife
May ye find the twiny road o life
A doddle, nae ower mony braes
An the win ahin ye aa yer days

HUNTLY FIDDLERS

Here's us aa gaithered here the nicht
For wir annual Christmas spree
We'll be lookin for a poem said Keith
A line or twa'll dee
Ye've heard the aul eens ower an ower
Till I'm sure ye're aa dementit
So I've pitten pen tae paper
An some new rhymes I've inventit

In case ye're winnerin fa is fa
That beardie lad ower there
Is kent as Keithie Cockburn
He acts as oor compere
He strums awa on his guitar
Jist like yon city buskers
He his a repertoire o sangs
But his jokes are growin fuskers

Oor leader Pam is Keithie's wife
O his jokes she is the butt
Poetic licence he employs
For true they're surely not
She plays the fiddle wi a will
Her energy's abundant
Keith better watch thon tongue o his
Or he'll find himsel redundant

An fa's this fiddler sittin here
Wi the bonny silver pow
Ian Wilson scrapes oot reels an jigs
But there's mair strings till his bow
He is an expert gairdener
His talent is uncanny
And his faimily's aa immortalised
In music by this mannie

Syne in ahin is Alan Moir
A retirin kine o man
He bides ower near Wartle wye
An he loves his caravan
He backs up aa the fiddlers
Wi his skill upon the box
An oot o him if you're in luck
A medley you micht coax

Now ben a bit we hiv Mike Cowe
He's forivver on a diet
Offer him a fancy piece
An he canna dee bit try it
Tae say no thanks I winna hae't
Tae Mike's a big decision
But he's tae tak the road for hame
An face the inquisition

At the keyboard we hiv Mary
A better deem ye'll nivver get
Back an fore tae London
She stravaigs in Easy Jet
Well – she says she's gaan tae London
But her Can Can you'll agree
Maks ye think she's been apprenticed
In the halls o gay Paree

An then, of course, we'll nae forget
Ian Wilson's brither Bill
He shares pianna duties
His licence is tae thrill
He dirls oot aul favourites
In his popular solo spot
That we danced till when we were young
An thocht we'd lang forgot

Syne there's me wi aa my versies
If you should skite an faa
I'll hae't a written doon in rhyme
In jist nae time at aa
Syne up I'll stan afore the fowk
Gie them a lauch in Doric
There's nae a better feelin
Tae mak a body feel euphoric

So that's Strathbogie Fiddlers
Little concert party
Mony a happy oor they spen
Keepin aul fowk hale an hearty
As they sing the aul familiar sangs
An tap their ancient taes
Ye can see the memories floodin back
O happy by-gone days

ILL NAITUR

The Lord knows fit's come ower the wife
Her humour's jist uncanny
There's nae a pleasing her said Dave
Tae the mairriage coonselin mannie

I dinna drink nor div I smoke
I hand ower aa my wage
I dry the dishes, bed the bairns
But aye she's in a rage

Nae maitter fit I dee it's wrang
She's some ill-naitured dame
Yon girnin voice an naisty tongue
Hiv me feart tae ging hame

The littlins sit an hardly spikk
The cat near rins a mile
Hiv ee got ony gweed advice
Tae garr the wifie smile

Noo weemin's affa sensitive
They like tae feel they're wintit
Div ye tell her that ye love her
That micht mak her mair contentit

Div ye ivver buy her sweeties
Tak hame a bunch o daffs
Try some romance on Jessie
That should raise a bunch o lauchs

Coo-ee I'm hame quine gies a kiss
That's some affa heavy shoo'ers
Here's a pyokie o yer favourites
An I hope ye like yer flooers

Well – aa hell let lowse as weel's her tongue
Tae spikk Dave didna dare
The cat shot throu it's flappie
An the bairns ran up the stair

Ye've nae idea the day I've hid
Nae winner I feel blue
An you – ye pick this very nicht
Tae come hame here bleezin fou.

IT NIVVER FAILS

Charlie's boss wis a martyr tae splittin sair heids
They garr't the peer man hit the reef
I jist canna stan this he said in despair
I've tried a'thing tae get some relief

Dinna tell ma said Charlie I suffer masel
Wi yon migraines ye feel richt nae weel
But I find that a cuddle fae Mary my wife
Works better than potion or peel

Nivver fails, said Charlie, as seen's it comes on
Fit-ivver the time, day or nicht
I jist nip hame – half an oor up the stair
An the next I ken a'thing's aa richt

A bosy, ye say, that's a new een tae me
I'll throw aa my peels in the bin
An ging an pey Mary a visit masel
Fan div ye think she'll be in?

IT'S IN THE BLEED

This wealthy aul Sheik fae aside Mozambique
Ae eer took maist affa nae weel
Gaed clean aff his mait, he jist couldna ait
An his hale body startit tae beel

He hid puckles o wives an feart for their lives
The doctor thocht foo wid he pit it?
Ging an bide on yer fairm keep awa fae the harem
We dinna wint them tae get smittit

When the crisis it cam the Sheik took a dwam
The oasis wis full't wi confusion
The doctor said he'd need tae get a sup bleed
An gie the aul man a transfusion

An SOS wis sent oot tae aa roon aboot
But nae wye a match could they find
For the rest o the week the ailin aul Sheik
Jist lay on his mattress an pined

Wi his hert like tae stop they'd near geen up hope
When an e-mail it cam on the scene
But nae fae Dubai, Bangkok or Shanghai
Na na it wis fae Aiberdeen

McLeod fae the Torry said foo he wis sorry
Tae hear o the Sheik's woeful state
But he kent for a fact their groups were exact
He jist hoped he wisna ower late

They took fit they nott fae the gweed hertit Scot
In nae time the mannie wis roadit
Feelin richt good foo o deep gratitude
An generous him bein loadit

He said thanks tae your bleed I'm livin, nae deid
Tak this car, Mac got a begeck
My wives are aa hame tae the very last dame
So I'm geein ye this muckle cheque

He took nae weel again, wis rackit wi pain
Sen for Mac wis his earnest request
We aa ken the score – it workit afore
Said Mac I can jist dee my best

The ootcome wis gran, the Sheik wis a new man
The glint wis back in his ee
Haein saved his life twice Mac flew hame tae Dyce
Sat doon tae wyte for his fee

Tho it took a gweed file he couldna bit smile
As he opened the registered pack
But inside wis a box o Quality Street chocs
McLeod he wis fair teen aback

He liftit the phone the aul Sheik cam on
Wis that aa my favour wis worth?
Aye I ken I've turned mean but half my bleed's Aiberdeen
The grippiest toon on this earth

NOT GUILTY MY LORD

Not guilty, my lord said the loon tae the beak
Nae wye did I drive a Mercedes last week
An rin doon a bobby as you wid accuse
It widna be fair if I wis tae lose
My ticket for something that I didna dee
Ye shouldna be powkin yer finger at me
An in my defence ye're aa wrang my lord
I can prove it – it wisna a Merc but a FORD!

NAE LAUCHIN

A sair affliction deeved aul Daisy
Eneugh tae caa the wumman crazy
An tho at hert a cheery craitur
It wis tae her nae lauchin metter
Each time she leuch or chuckled – knell
She brook win, couldna help ersel
A cross tae bear, a tragedy
Especially in company

A funny programme on the telly
Ae nicht gart Daisy haud her belly
Lauch until her ribs wis sair
An pulverise the ozone layer
Tae haud it back wis purgatory
She roll't aboot in agony
A plan fae desperation born
She'd see the doc the very morn

The mannie wis maist affa nice
As Daisy socht his gweed advice
Clim on the cooch or I detect
The cause o this greenhoose effect
He kittlit her aboot the feet
She kecklet sair – wis like tae greet
A strategy that workit fine
Wi soun effects fae her hinner eyn

A muckle gadget fae the neuk
Wi timmer stang an metal hyeuk
He grabbed, peer Daisy feared the worst
Her hertie duntin like tae burst
Worried sick at fit she'd hear
She redd her throat, she hid tae speer
Fit's wrang wi's, am I on the blink
No I'm openin the windae – what a stink!

O FOR SIMMER

For the birstlin days o simmer I think lang
Oors o leisure, that's the life for me
The gairden an the blackie's mornin sang

For Granny's aul tea rose wi blossom thrang
Sic heidy scents tryst the honey bee
For the birstlin days o simmer I think lang

It's in yon shady neuk that I belang
A book unread, unopened on my knee
The gairden an the blackie's mornin sang

Far the cattie dreamin o yon moose he sprang
Hotters an purrs in blissfae lethargy
For the birstlin days o simmer I think lang

I cwid sit an dream masel the flooers amang
But wi weeds tae heow sic sweerty widna dee
The gairden an the blackie's mornin sang

It's weel throu spring, oor climate's aa gaen wrang
Caul rattly shooers, a body scarce can see
For the birstlin days o simmer I think lang
The gairden an the blackie's mornin sang

PARIS IN FEBRUARY

In February Barbara wis richt gled
For Peter, Elizabeth an Ed
Hid jumped upon an aeroplane
A little holiday tae spen
Wi her an Laziz in Paree
An fae fit I hear they hid some spree

They wandered ben the Champs an Rues
Catched up on aa the faimily news
Shopped at Galeries Lafayette
Sampled plenty queer French maet
An dined at that maist favourite spot
On steak an frites at the Entrecot

They saw the Sacre Coeur, the Seine
Hid a look at Notre Dame again
They didna buy a lot I'm sure
For they're nae eens for the haute couture
But a euro here an there they'd spent
Syne back tae Pierrefitte weel content

The sheen kicked aff – what a relief
They poored a wee aperitif
Discussed at length fit next they'd dee
So Peter said he'd mak the tea
The quines sair made wi aa the rabble
Optit for a game o Scrabble

The boordie ready on the table
Tae find the tiles they warna able
But it turned oot some careless craitur
Hid left them on the radiator
The nicht afore, wi ootcome drastic
They'd meltit till a lump o plastic

They hid tae lauch – the men near chokit
Gie them their due, though, they got yokit
Wi chisel an sharp instrument
Tae get the mannies aa unbent
But the racks that straicht's a die hid been
Were boo't jist like a crescent meen

They chapped an scrapit, howked an pickit
Vowin nae wye they'd be lickit
They prised the tiles oot een by een
Till finally the job wis deen
Some were square an some far fae't
They were as good as they could get
The letters warna gweed tae see
(is this an F or is't a T)
They played but there wis aye some doot
On fit words they were pittin oot
An Barbara nivver missed a chance
Tae spell her wordies a la France

So next time that you chance tae be
On holiday in gay Paree
If ye're scunnert trailin roon the sights
An sampling aa the French delights
An ye're at a lowse eyn for a while
Hae a game of Scrabble Paris style

PHILIP CAMERON

If you should chance tae lose yer job
If yer livelihood's awa
Jist sen for Philip Cameron
Barrister at Law

In employment law a specialist
Nae Scots Law I some doot
But the ootcome will be aa the same
When he gets ye sortit oot

He'll pick ye up at Heathrow
In his wee cream mini car
Ging fleein intae London
Introduce ye tae the bar

Nae a bar wi booze an fags
Na na – I dinna joke
It's a crowd o lawyer mannies
An nae the Crown an Oak

He'll fix ye up wi legal aid
Pit aa yer gen on file
Fill ye fu o confidence
Till ye canna dee bit smile

An Philip he'll stan up in coort
In his strippit breeks an goon
Pit up a richt gweed argument
He's the best in London toon

An you'll come hame tae Huntly
In happy buoyant mood
Ging back tae work on Monday
Thanks tae a local loon made good

ROBBIE AN THE QUINES

He'd a fine silver tongue
For getting roon quines
He wid flatter them sair
Write them a feow lines
It wis easy for him
It wisna that hard
Tae reese oot their beauty
For he wis the bard

He wid write aboot Scotland
Her banks and her braes
The mice and the daisies
In verse he wid praise
But fit-ivver the rhymes
In his heid he wis schemin
Be sure in the eyn
He'd be back tae the weemin

He wrote puckles o epitaphs
Tae elders an lords
The story o Tam
He pit intae fine words
He mentioned aul Nature
Reed roses an rashes
So wid ye believe't
He wis back tae the lasses

He mairriet Miss Armour
Her name it wis Jean
But aye the next maiden
Wid come on the scene
He courted them aa
Syne claimed his reward
Aye, he likit the ladies
Did Robbie the Bard

ROBBIE'S BIRTHDAY BASH

When Robbie Burns wis bit a loon
The life he lived wis hard
Nae presents for the birthday boy
Nae cash or birthday card
He didna get a party
Wi cake, ice cream and fruit
Guests singin "Happy Birthday"
As he blew his candles oot

Candles back in Robbie's time
Were only used at nicht
Can you imagine life the day
Withoot electric licht
Can you imagine life withoot
Your wee necessities
Like mobiles, holidays in Spain,
Computers, fashion claes?

Robbie had a stump o pencil
Some books, that's aa he nott
Wi a good imagination
Tae become a famous Scot
Aye, the wint o licht, the poverty,
The crowded, caul wee hoose
Didna let the poet lose sicht o
The daisy or the moose

And noo-a-days, strange as it seems
When his birthday date comes roon
There's a party held for Robbie
In every Scottish toon
We say his poems, we sing his sangs
Fit better can it get?
Weel named is he "The Scottish Bard"
For naebody's matched him yet

Now, we've aa enjoyed his party
We're aa fair stappit fu
O haggis, neeps an tatties
The evenin fairly flew
And if yer glass is empty
Haud in anither splash
And drink a toast this special nicht
At Robbie's Birthday Bash

SHARE AN SHARE

Said the aul man "Noo fit div we fancy the day?
Gies a haddock, twa plates an twa cuppies o tay"
Syne he havvert the fishie, pit half on ae plate
Gaed the rest tae his missus an yokit tae ait

Keith, the loon at the table aside them he thocht
"What a job bein aul" when he saw aa they'd bocht
Tell't them "You've nae idea foo much pleasure 'twid gies
Tae buy ye a fish syne ye'd hae een the piece"

"Thank ye ma loon but we've aa that we need
An we widna sleep if we'd ower big a feed
Fify eer," said the man, "we've been mairriet an mair
An fit ivver we've hid we've aye likit tae share

But the wife hidna startit the loon couldnae dee
Bit notice, she jist took the odd howp o tea
"Ye'll sterve, ye'll be deein o hunger" said Keith
"Na this is his wikk for first shot o the teeth"

SHE'D BELIEVE ONYTHING

Lucy's aye been affa keen
Tae get her teeth intil a been
But the ither nicht she came a cropper
When her Auntie Lyn gied her a whopper
She lay an chaa'd an wagged her tail
The been gey near as big's hersel
Till suddenly she let oot a yelp
As if her lug had got a skelp

She squawked an made a soon nae handy
I ken fit's botherin her said Andy
Yon been has caused the how d'ye do
There's a bit o't stucken in her mou
She chaved an struggled aa nicht lang
She kent some affa thing wis wrang
Kept rub rub rubbin wi her paw
Aa roon aboot her bottom jaw

When morning came she wis neen better
They'd need tae see fit wis the miatter
Oh Andy, Lucy canna ait
Ye'll need tae tak her tae the vet
Said Amy but when he got there
She jist gaed feel she wis that sair
Growled an snapped, wis like tae bite
The peer wee doggie jist gaed gyte

Said the vet, she's lookin richt pathetic
She needs a sniff o anaesthetic
Tae gie me access till her mou
Jist leave her here – come back at two
When Amy phoned at two o'clock
Well, she wis in for sic a shock
Wee Lucy's nae jist quite hersel
It's a big job cutting aff a tail

When ye see her you'll get a begeck
She'll hae a lampshade roon her neck
Tae stop her chaa'in at her stitches
An ither coorse annoyin itches
She's a muckle bandage roon the stump
An she hisna got a tail tae thump
For a day or twa she'll maybe pine
But apairt fae that she's deein fine

Funny, said Amy till hersel
Tae amputate a doggie's tail
When, as far as I can mine
The problem wis the ither eyn
Tae tak it in I'm sairly pressed
But he's the vet an he'll ken best
Syne when she mentioned aa her doots
He said "Are you nae Mrs Coutts?"

Ye're nae? Oh me – I'm sic a feel
Lucy's her poodle's name as weel
Na na, your Lucy's richt as rain
An ready for the beens again
There's a moral till this sorry saga
To stop fowk thinkin you've gone gaga
Like Amy in the land o dreams
Mind! Athing's nae aye fit it seems

SOME LATE

Twa wifies fae Huntly they met in the queue
At the Pearly Gates wytin tae be latten through
An they blethered an newsed for a gweed oor an mair
Aboot fit hid come ower them tae land them up there

Fit took you in the eyn said Jeannie tae Beth
Hypothermia they ca'ed it, I jist froze tae death
My hale body felt like a great lump o leed
An the next thing I ken I'm stannin here deid

That's terrible sad – a body cwid greet
Ye'd be better gyan doon the wye far there's some heat
Na faith ye said Beth I'm thawin oot noo
Withoot shuffling coal – bit fit aboot you?

Well, a filie ago it cam intae my heid
That Willie, my man, he wis up tae nae gweed
There wis something gyan on he wis tryin tae hide
Aye, he'd some ither umman, a bit on the side

He wid bide at the pub aa the oors o the nicht
He wid shower fan afore his face got a bit dicht
He wid squirt at his oxters wi you stinkin scent
An it wisna for me aa this squirtin I kent

So this mornin, decidin enough wis enough
I wid cop him reed handed wi his bit o fluff
So I lowsed an oor early parked weel oot o sicht
Crept in an here's Willie, but look as I micht

There wisna nae sign o the floozie ava
I suspectit wis stealin my Willie awa
Intae siccan a fearach o swyte I got vrocht
As clues tae his ongyans I frantically socht

I looked in the wardrobe, the kist and the press
My hert wis fair thumpin an duntin wi stress
I raked in the garret, aneth aa the beds
Gaed oot tae the gairden an lookit the sheds

While Willie jist sat there in front o the box
Tirr't doon till his galluses, semmit an socks
Quite unconcerned, my fecht it wis lost
My hert gaed a great lowp an gaed up the ghost

Ye gype girnt Beth, nae kent for her tact
Ye didna try aa wye I ken for a fact
If ye'd looked in the freezer I safely can say
There wid neen o's be stannin here queuein the day!

THE COTTAR'S SETTERDAY NICHT

2015 version

The cottar hurries till the byre at three
Tae feed the nowt an barra oot the muck
Sweerin he'll nivver tak anither fee
If his lottery ticket brings him ony luck

As he spreads the beddin roon aboot the coos
The baillie's thochts they wander here an there
He could maybe tak the missus on a cruise
If he shid waken up a millionaire

He could buy a plot an big a fancy hoose
Hand in his notice first thing Monday morn
Tak the bairns tae Disneyland an Mickey Moose
Wild plans he maks when weighin oot the corn

The gran ideas birl roon his heid
He'll sell his rooshty banger – buy a jeep
Wi his millions he could dee a lot o gweed
'twid be ower much for ony man tae keep

His duties deen he taks his humble tea
The bairns argue ower the extra chips
Wi admonitions till them aa tae gree
An stop their fechtin comin fae his lips

Peace reigns he switches on the BBC
Pencil poised tae tak the numbers doon
"Please let my luck be in" his earnest plea
"Mak this the hinmaist turn o keepin toon"

Roon the ballies furl – he keeps a watch
Een by een they loup fae the machine
Alas, the cottar's numbers dinna match
He his mair chance o fleein till the meen

Eence mair that jackpot's passed the cottar by
His hopes were vain – he hisna muckle luck
Weel, that's anither wikk o sortin kye
Up till his oxters rowin oot the muck

AUL BLACKFRIARS BAR

If ye're near the tap o Union Street
An lookin for a bite tae eat
For good aul fashioned Scottish grub
Jist visit aul Blackfriars Pub
Far the welcome is beyond a dream
Aa thanks tae Michael an his team

They'll serve up onything ye wish
Fae local beef tae North Sea fish
Afore ye've hid the time tae blink
Ye'll be stickin intae Cullen Skink
A plate o haggis rikkin het
An the finest mince ye'll ever get
Their fish an chips hiv won awards
Ye can see a treat is on the cards
Ye'd surely dee a hale lot waur
Than dine at aul Blackfriars bar

THE EDINBURGH TATTOO

Granny an Granda's awa in a bus
The excitement – ye nivver saw siccan a fuss
They're lookin richt braw – aa dressed up tae kill
Sheen dichtit an shinin like sharn on a hill

They've a pyoke foo o sandwiches, twa flasks o tay
Bananas an aipples tae lest them aa day
A case wi their jammies an goonie as well
For they're bidin the nicht in a fancy hotel

Seems an affa palaver an sic a to-do
For far are they gaun? The Edinburgh Tattoo
Aye Edinburgh! Ye hiv tae admit they're gey game
When there's bound tae be somewye else nearer han hame

My Granny an Granda's nae modern ava
He weers a flat bonnet his hair's fite's the snaa
Granny howks oot her peenie, the girdle an bakes
Keepin's aa gaun wi bannocks an scones an oatcakes

If the bussie wis bookit, say, for Aiberdeen
An the Aul Meal Mill Concert, weel that's mair their scene
But it's nae neen like them (nae my business it's true)
Tae rake doon tae Edinburgh tae get a tattoo

I can picter ma Granda wi "Meg" on his airm
Efter fifty eer, weel, it cwid dee little hairm
But try as I micht, I jist canna see't
Granny hirplin aboot wi a doo on her queet

But the fowk in the bussie wis aa OAPs
Wi their pandrops an galluses an crochly knees
So Granny an Granda they're nae by themsels
In losin the place, gaun clean aff the rails

The next thing we ken they'll be hame wi pierced lugs
Or bellies, I nivver thocht they'd be sic mugs
Oh, Granda, jist stick till a tune on yer pipes
Ye're baith nearly eichty – a pair o aul gypes

THE FASHIOUS AUL MAID

Song – chorus in italics

She'd o likit a man plenty socht her tae dance
Tae trip doon the aisle she hid mair nor ae chance
But on doctors an lawyers the lass hid her eye
Nae bonnets, she'd wyte or a bowler cam by
She'd turn doon the bunnets, hae neen o yer bunnets
It widna be lang or a bowler cam by

Will ye tak me ma quine priggit Sandy the vricht
I'll speer at yer aul man dae athing jist richt
If ee'd been a banker I micht o said "Aye"
But ye jist weer a bunnet so haud awa by
Ye jist weer a bunnet – I'll nae tak a bunnet
It winna be lang or a bowler comes by

Geordie the cattleman fee't at The Mains
Speer't for her han as she maitit the hens
A Baillie? Na Geordie – ee stick till yer kye
Ye jist weer a bunnet so haud awa by
Ye jist weer a bunnet – I'll nae tak a bunnet
It winna be lang or a bowler comes by

Willie the smith wis a fool brooky chiel
His hans an face files cwid o deen wi a sweel
Said she ye're nae bad in yer dickie an tie
But ye jist weer a bunnet so haud awa by
Ye jist weer a bunnet – I'll nae tak a bunnet
It winna be lang or a bowler comes by

Tam said she wis bonny brocht sweeties an floo'ers
Traivell't her oot in the meenlicht for oors
Gaed doon on ae knee but she answered "Na fie"
Ye jist weer a bunnet so haud awa by
Ye jist weer a bunnet – I'll nae tak a bunnet
It winna be lang or a bowler comes by

The roch styouy mull-man cam roon twice a year
He'd a weel stappit moggin, said mairrie's ma dear
Tak yer yavins an rikky sarks some ither wye
Ye jist weer a bunnet so haud awa by
Ye jist weer a bunnet – I'll nae tak a bunnet
It winna be lang or a bowler comes by

The souter wid files wi his fiddle come doon
He sortit her beets an he played her a tune
Tae woo me wi sang'll nae work she wid cry
Ye jist weer a bunnet so haud awa by
Ye jist weer a bunnet – I'll nae tak a bunnet
It winna be lang or a bowler comes by

Noo she's bidin her leen in the pensioners' flats
Wi her wireless, her single bed wyvin an cats
An ye canna bit winner dis she sometimes sigh
For days when she loot aa the bunnets haud by

Nithing wrang wi a bunnet but she turned doon the bunnets
An the bowlers – weel they nivver lookit her wye
Na the bowlers, peer lass, nivver lookit her wye

Note: the subject of *The Fashious Aul Maid* is an aul farrant spikk about an aul maid left on the shelf – "she missed aa the bunnets wytin for a bowler hat" ('Bowler' pronounced to rhyme with 'howler'). The words are set tae the tune o an aul song cried *The Bonny Wee Windae*, sung by Mr Peter H Gordon of Huntly many years ago.

THE HINMAIST WORD

Keith, wisn't that some say-awa
I ken ye didna mean it aa
An noo – there's me – a game aul bird
Tae try an hae the hinmaist word

Far wid aa you billies be
If ye didna hae the likes o me
Panderin tae yer ilka wish
Ye've jist tae say ye like a dish
And your approval I will sikk
By makkin't at least eence a wikk

An jist like Tam O Shanter's Kate
I'll prig, e'en beg, fae morn till late
That when ye cry in by the pub
The Crown Bar or the fitba Club
Ye tak yer dram weel watered doon
An nae come stottin throu the toon
Ye maun be cruel tae be kind
Coorseness nivver crossed my mind

Noo ye widna wint me stuck at hame
Like Kate, Tam's sulky sullen dame
Ye'd rether see me foo o smiles
As gaily I clock up the miles

Venturin ilka day abroad
Ye say I'm never aff the road
Tho I ken ye winna say nae ill
When you've tae pey the garage bill
For changin tyres an ile an juice
It's nae at cheap tae rin a hoose

I ken lang workin oors ye keep
An wi the licht on you'll nae sleep
But in my bed I like tae read
Ye could pull the blankets ower yer heid
I doot my Forty Shades o Grey's
The only romance I will hae
For aa ye dee is flap aboot
An roar – Will ye pit that licht oot!

So aa you mannies dinna vex
An girn aboot the fairer sex
Ye're lucky tho ye canna see't
For you could be a lot waur fee't
Eternally grateful you should be
An thankfae ye didna mairry me

THE NEW HEARIN AID

Aye Sandy, roared Dod as they looked roon the nowt
I've in my new hearin aid, nae need tae shout
It's a topper, it's digital, nae batteries gaun flat
Cost near a thoosan – bit worth double that

It picks aathing up, I can hear the TV
What a boost, I can tell ye, that thing's been tae me
When I'm here at the mart I can jine in the news
Air my opinions an offer my views

Yer sons'll be shuitit ye're hearin sae weel
Ah! But jist cos I'm deaf disna mean that I'm feel
I hinna tellt them, I hinna lat cheep
My cards close tae ma breast for the meenit I'll keep

I get ower muckle fun hearin foo they wid spen
The extortionate price I got for Widde'en
For them an thon wives o theirs hinna the wit
Tae keep quaet as there in the corner I sit

They assume I'm still like the proverbial door nail
That I'm still sittin there in a world by masel
But this new hearin aid lats me tak aathing in
It's aa I can dee nae tae hae a bit grin

They discuss my affairs volume gaun at full bore
Canna wyte tae see me crossin ower Jordan's shore
They dinna gie tippence for crochly aul me
They're ower busy planning the day that I dee

They'll be in the toon bookin holidays abroad
Wi me hardly caul lyin under the sod
Aside their aul mither – a gweed job she's gone
She'd be sorry tae hear her loons spikkin like thon

So for her sake an mine I'm jist haudin my tongue
They can ging oot an work they're aa able an young
An me? I'll enjoy imaginin the thrill
I wid get if they kent I'd been changin my Will

THE POOCHLESS SHROUD

The frost an the snaa hid been hard on the kirk
The slates loot in watter nott some urgent work
But siller wis ticht – the kitty wis teem
Tae pey for't they'd need tae come up wi some scheme

The session discuss't it each time they sat doon
Sales o work, soirees, syne aul Jimmy Broon
Said "A personal appeal micht get's oot o the hole
Tae the mair weel aff members we hiv on the roll."

The peer session clerk he pull't the short strae
He'd tae taickle John Smith fae the heid o the brae
A soor, grippy lawyer wi nae issue nor wife
Coontin siller wis his only pleasure in life

"My aul mither" said he "is in permanent care
Her lodgins is five times her pension an mair
My brither's come doon wi some affa disease
He's a job wi the rent an can jist sit an freeze

Syne the wikk efter last my ain brither-in-law
Met in wi some deem an took up an awa
Left my sister, peer quine, wi a hoosefae o geets
Tae feed an keep happit wi jerseys an beets

As I'm sure ye can see fae my sorrowfae tale
There's aye some ither body waur aff than yersel
An I dinna help them so fit maks ye suppose
I'd fork oot gweed siller, aye, pey throu the nose

Pairt wi hard cash, pit my haan in my pooch
Tae help oot the kirk that's aye on the mooch
For aa-thing I've got I've aye haen tae chave
In the words o the Book ye jist hairst fit ye shaave

Ye'll aa get yer share o fit's comin fae me
But like abody else ye maun wyte or I dee"
His sermon delivered, wis't only ill luck
Garr't him hyter aneth the wheels o a truck

Fan breathin his last an fechtin for win
He met in wi his maker, left the hale lot ahin
As the message cam through sae clear an sae loud
Fit abody kens there's nae pooch in a shroud

They beeriet him deep, the Will wis read oot
John Smith hid been worth a fair bit o loot
It did him little gweed but his comin tae grief
Meant the Smiths got a haan an the kirk a new reef

THERE FOR THE TAKKIN

What an extortion tae charge for twa nichts
Jist a rip-aff though I'd say't masel
Said the deem tae the manager – twa hunner powen?
I'm nae tryin tae buy yer hotel

But we've got a gym foo o fancy machines
Like treadmills tae practice yer walkin
I nivver set fit in yer new fangle't gym
Well, ma dear, it wis there for the takkin

There's beauticians an hairdressers laid on for guests
A file there an ye'd hae the men gawkin
Awa wi ye min, I'm fine as I am
Suit yersel but they're there for the takkin

We've a great muckle sweemin pool – heatit at that
Facilities here are nae lackin
Me sweem! Michty water an me dinna gree
Nae maitter – it's there for the takkin

We've Turkish Baths, saunas Jacuzzis – the lot
Stiff jints an the like they'll seen swacken
Aye an bile ma tae daith in the bygyan I ken
Foo nae try them they're there for the takkin

She'd a howk in her handbag fell in wi a pen
Wrote a cheque oot for half o the fee
That's yer twa hunner powen less fifty per cent
For personal services fae me

But Madam, he bluster't, that you wid suggest
Sic a thing – the peer mannie wis shakkin
That's your hard luck said the deem wi a smirk
Bit ye ken it wis there for the takkin!

THOSE WERE THE DAYS

Written for the Women's Guild

Two ladies are sitting at a table at their old country school reunion. One is quite ordinary looking and the other is done up to the nines – fancy hat, high heels etc. Effie (the ordinary one) is eyeing Maggie up.

EFFIE: It's Muggie Hinnerson isn't it? I hardly kent ye wi yer fancy hat. The last time I saw ye yer stockins wis wrinkled roon yer queets an ye hid on yer brither's sheen.

MAGGIE: Oh – I hardly think so – and by the way I'm kent as Margaret noo-a-days. But I'm terrible sorry – I can't mine your name.

E: Effie Johnston. Mine, ma father wis grieve at Mains o Gosky Neep when your aul man wis orraman. We eest tae walk tae the skweel thegither – oh we hid some rare times thegither scutterin ben the road an getting a row for bein late hame. Mine foo we used tae chase een anither wi yon big hairy worms.

M: (shudders delicately) Oh yes – I hiv a vague recollection. I'm awful gled to meet in with you again.

E: Me an aa. Hid ye far tae come?

M: Jist from Aiberdeen. We was terrible hinner't or we could win away though. Jeffrey hid sic a picher with the tap button of his sark. We had to ficher with it for ages. All that business denners you ken – they fair pile on the beef.

E: Somebody said yer man wis something big in the Bank. (She looks over the room) They hidna been far wrang I'm thinkin. Aye, he's got a fair belly on im. Affa prosperous lookin, though.

MAGGIE: Mercy me aye! He's aboot as far up as he can get.

E: Aye weel, the only wye left tae ging noo'll be doon I doot. That's ae gweed thing aboot my Jimmy – he's nivver been very far up onywye so he winna hae affa far tae faa.

M: And fit does your husband dee Euphemia?

EFFIE: (exclaims) Euphemia! I've nivver been ca'ed that afore. Effie'll dee fine. Jimmy's a scaffie in Huntly. We hid a bit o a job getting awa wirsels as a matter o fact. There wis twa doos sittin on the gairden palin eyein up Jimmy's neeps an there wis jist nae fleggin them. He wis aa for gettin the gun oot bit I said "Ye're nae gan tae sheet that peer doos." "Peer doos, peer doos!" said he "Ye winna be sayin peer doos when ye're lookin for a neep for yer tattie soup."

MAGGIE: Our garding's all in chuckies. So much cleaner and you don't trail dubs intil the lobby.

E: Look fa's ower there! Mary McIntosh. Peer Mary nivver got a man. It wisna for the wint o tryin though. Oh, an she's spikkin till Jenny Scott – she's on till her third een. The world's ill pairtit.

M: She's awful well preserved.

E: Aye she his tae be tae keep up wi this latest een. He's a toy boy – twenty eer younger than er. I bet she's the chemist's best customer – fit wi paint an dye an vitamin peels. Of course she nivver hid ony faimily tae spile her figure. Hive e ony faimily Mugg – sorry, Margaret?

M: Just the twa – a gentleman's faimily ye ken. Miles – he's in ile and Miranda's mairriet till a doctor.

E: Oh a doo's claikin. Weel, I hiv twa an aa – twa loons. Geordie's in timmer (she smiles) he's a labourer at the sawmill an the ither een, Willie – he's a lazy vratch. He's on the dole ive noo.

M: Oh what a peety. But maybe something'll turn up. He could ging to college.

E: (sarcastically) Oh ay, fairly. An fit dis yer dother's man doctor in?

M: Heid problems. He's a psychiatrist.

E: A psychiatrist? I'll need tae get im tae come an dee a

homer on oor Willie – he's a richt heidcase. Div you see fa I see? Charlie Souter (She waves across the room) Aye Charlie – lang time no see. He wis an affa lad Charlie. Mine yon day he pit the teacher's tag doon the back o the press?

MAGGIE: (Forgets herself for a minute) Aye an mine he eence hid a moose in is desk an he pit it in Miss Forest's cardigan pooch. What a squallach she lat oot when she pit her han in for er hankie. (They laugh)

E: Div ye hae a job yersel Mugg … Margaret?

M: Oh preserve's – mercy me no! Jeffrey won't lat me work – he wid be fair affrontit. Neen of his pals' wives ging oot to work. I potter in the garding and do Meals on Wheels and a bit of shooing. I don't wive though because Jeffrey won't weer worsit socks.

E: Winna weer worsit socks? Jimmy wid weer wheelin drawers if he got half a chance. It's a gey caul job the scaffyin. Your man winna be bothered wi the caul in the Bank.

M: Oh no. He's files that forfochen with the heat he wid cast his wystcoat but he needs it to hap his galluses. Div you work Effie?

E: Oh I'm a cleaner at the hospital – an aul scrubber I suppose you could ca ma (She laughs) If I didna work I widna get oot tae ma bingo three nichts a wikk.

M: I like a bit o a flutter myself. Jeffrey an me files gings to the Casino. Well I nivver – Daisy Duncan – fa did she mairry again?

E: Sandy Smith fae the heid o the hill. That's him ower there wi his hair plestered doon tae hap the bald bit.

M: He wis an aul lad o mine. I think I hid a lucky escape. Well, maybe no. A Sandy micht o been preferable till a Jeffrey. (She takes off her hat and shoes and relaxes)

E: Foo's yer fowk aye deein Maggie? I aye likit yer mither.

M: They're keeping gran. They're in a shelter't hoose noo. Fit aboot yer ain folk?

E: They bide roon the neuk fae's. We aften spikk aboot the aul days on the fairm.

M: Sic happy memories – playin tackie roon the rucks when it wis comin doon dark – ye nivver wintit tae ging in till yer bed.

E: Nae TV like the bairns noo-a-days.

M: Or computers.

E: Or coorse weather.

M: Or fancy claes an keepin up wi the Joneses.

E: Na na – we were aa Jock Tamson's bairns an nae twa bawbees tae rub thegither.

M: Bit as happy's the day wis lang. Oh me – it's richt fine bein able tae news natural, Effie. I'm nae cut oot for this bool in the mou wye o spikkin bit Jeffrey's affa concerned wi his image. He wid nivver think o letting his hair doon – well fit he his left o't onywye.

E: We'll need tae get thegither sometime. Fit aboot comin oot some wikkeyn an I'll tak ye tae the bingo?

M: That wid be rare. Jeffrey's forivver awa playin golf wi his fancy freens leavin me twiddling ma thooms wi that bloomin chuckies – nae room tae grow sae much as a dreel o tatties. Ah've ma ain wee carrie so I can come ony time.

E: That's it settle't than.

M: Here's Jeffrey – I dinna think he's affa pleased lookin. He'll likely be needin awa hame. (She calls over to him) I'm over her Jeffrey dear – mercy me what are you hirpling at, is your gout giving you gyp? (To Effie) He's a martyr tae the gout is Jeffrey. He couldna hae varicose veins like ordinary fowk of course. (She gathers up her belongings) Well it's been richt fine seein ye again Effie an dinna forget that nicht at the bingo – I'm fair lookin forrit till't.

UNTITLED

For a special anniversary – Ian and Gladys Wilson

Said Ian Wilson till himsel
Next winter I'm nae keen tae trail
Tae Elgin ilka wikk an back
I think a wife I'll need tae tak

So doon he got upon ae knee
Said "Gladys, will ye mairry me
It'll be a change fae Dr Gray's"
"Aye" said she an up he raise
Thinkin next winter we'll be snug
Jist like twa gollachs in a rug

So October nineteen fifty-eight
At the altar Ian an Gladys met
As bonny a bride an handsome groom
As ye'd ivver get for miles aroon

Ian hid thocht he could dee worse
Than pick a wife that wis a nurse
It's easy seen he wis nae feel
She'd tend him when he wis nae weel
Cheer him up when he wis blue
Cure athing fae the piles tae flu

But mind you, on the ither han
Gladys picked a first class man

A fairmer, a hard-working chiel
Ploo'ed mony a lang an weary dreel
Vrocht the lan fae morn tae nicht
Made athing look perjink an richt

Noo Gladys is a workin deem
Ye nivver leave her table teem
Tho you could ait withoot a fear
Yer denner aff her lobby fleer
Her hoosie's ay sae spick an span
Her bakin feeds the inner man
For hoosework she his sic a flair
Ian an her's a weel matched pair

When nineteen sixty-three cam roon
Brian appeared – a bonny loon
Wi the patter o his tiny feet
The Wilson family wis complete

Noo Gladys is a quine tae worry
An ae day as she chanced tae hurry
Ower the closs there wis a bang
She couldna think fit hid gaen wrang
When suddenly there floatit doon
An airforce parachutist loon

Near cowped her an as she stood there
She thocht – noo hiv I combed my hair
My sheen's a soss o dubs an glaur
But the ootcome could o been much waur
For the planes attemptin loop the loop
Ower Little Claymires chanced tae swoop
Jist like a pair o homin doos
The parachutes fair saved the crews
The Wilson family as well
An left the placie stannin hale

Scots music aye his played a pairt
In Ian's life – richt fae the hairt
An when he moved intil the toon
He jined up as a Huntly Loon

On the fiddle he's maist affa handy
An wi young Dougie, Jake an Sandy
Aa noo gone an Francie Shand
Played in Strathbogie Fiddlers band
As he dis till this very day
Tae entertain the aul an grey
But only ae thing he maun watch
For up on them he's like tae catch!

When Brian and Audrey they got wed
In nineteen ninety the foun wis laid
For anither happy family
An their wee brood it numbers three

Noo jist like Schubert, Brahms an Bach
Or Rimsky Korsakov – dinna lauch
There's anither string tae Ian's bow
He is a fine composer now
But hens gan mairchin ower the midden
Or fleein bummers – aa forbidden
No – mair genteel like titles dae im
The names o Isla, Amy, Liam
Brian's quinies and his boy
Granny an granda's pride an joy

Syne tak a look oot Deveron Road
Till a hoose fa's gairden lang his showed
Begonias, dahlias – pink an reed
Aa roon the borders at Braemead
A sicht for sair een worth the seein
Thanks tae Gladys an tae Ian
An mair than eence the prize they've liftit
For the bonniest gairden – baith sae giftit

There's nae much mair that I can say
Aboot them on this special day
May they baith prosper lang an thrive
Here's till anither fifty five!

UNTITLED

Wedding of Colin & Lucy

On the road tae the Isles by the sea an the lochs
Lies Mallaig a wee fishin toon
We'll start in the past that's far Colin grew up
Like his father, a richt West Coast loon

There wisna much work so on leavin the school
A move tae the North East he made
Tae Huntly the place far his mither belonged
Far he workit tae maister his trade

Under Matt's supervision he hammered an sawed
A talented jiner became
Swapped his fine Highland accent for some Doric words
In nae time he felt quite at hame

He hid plenty o pals and as young laddies will
Coortit Lucy a nice Huntly quine
Set up hoose wi her as they dee noo-a-days
The twa o them got on jist fine

He wis Dad tae young Molly syne Riley appeared
Colin's image so abody declared
Heidi she couldna wait tae come intae this world
But Noah wis better prepared

Colin built them a palace oot by Sillyearn
In the lythe o the muckle Knock Hill
A hoose tae be prood o – a fine family hame
Proof o his weel practised skill

Now, the present, we're aa gaithered here because he
Has made lovely young Lucy his wife
Their vows they've exchanged, now they are as one
As they start oot on their mairriet life

An the future, well fa's tae ken fit it will haud
But maistly it's up tae themsels
They'll hae tae get on wi't come rain or come shine
An some aul fashioned love never fails

When the goin gets tough if they mine on this day
When aathing wis shiny an new
Mak up ony tiffs wi a bosy at nicht
An good memories will cairry them through

We aa wish them weel in the years that's tae come
Jist look at them burstin wi pride
May their happiness endure for the rest of their days
Here's tae Colin and his bonny bride!

WEEL ORGANISED

Monday's for washin, on Tuesday she'll bake
On Wednesday on the styew she'll advance
Organised's nae the word tae describe Lizzie Smith
There's naething that she leaves tae chance

Tàk her funeral, noo, ilka detail's worked oot
Doon tae the very last prayer
Cremation she's gan for – she'll ging up in a lowe
An a bussie'll leave fae the Square

When aathing's been deen it's the Fower Mile for tay
An she's pickit a richt bonny place
Far weather permittin the following wikk
We'll gaither an scatter the aise

I'm nae gan trailin awa tae the toon
Tae be brunt in a fire when I dee
I'm an affa poor traiveller hurlin aye maks me sick
It's a hole in the kirkyard for me

WATERLOO

This man ca'ed Alexander Bikker
A weel kent efter denner spikker
Famous for his ready wit
Hid aye the company in a fit
O lauchin at the funny quips
An stories tummlin fae his lips
In easy an uproarious mainner
So for his petrol an his denner
(Sandy wisna ill tae pey)
The months fae Michaelmas tae Mey
Wi his speeches – nivver twa the same
He wis scarce a Friday nicht at hame

Noo he'd a tendency tae powk
His fun at peer unfortunate fowk
That Mither Nature maybe blessed
Wi features worthy o a jest
Or them that hyter't – cam tae ill
Weel that wis grist tae Sandy's mill
In fact, the waur the victim's lot
The bigger lauch oor Sandy got

But ae nicht at some fancy do
Weel, Sandy met his Waterloo
When chaa'in at some teuch like maet
He brook in twa his upper plate

He cwidna spikk, he cwidna bite
He felt his sark gaun weet wi swyte
An tho the company wis gey swanky
He spat the bits intil his hanky

The mannie sittin on his right
Wis quick tae notice Sandy's plight
An bein an obliging man
Gaed him a word ahin his haun
Scraped back his cheer an made for oot
Wi reed faced Sandy following suit
"Noo wyte ee here or I come back
I'll nae be lang I'm fine an swack"

In nae time in wir mannie nippit
For he wis biggit like a whippet
Laid doon a case and Sandy's een
Gaed gleyt – the like they'd nivver seen
For lyin there – raw efter raw
Wis false teeth, medium, big an smaa
Tap an boddom eens – the works
Eens wi grins an eens wi smirks

"Tak yer pick – ten powen the piece
There maun be something here o eese"
"I hope so, my dileema's drastic"
Said Sandy wilin throu the plastic
Lookin for the perfect fit
Till "EUREKA" he hid scored a hit
"The very dab – this eens'll dae
"Ye'd think they hid been been made for me"

He flashed the gless a cocky grin
"If ye dinna mind I'll keep them in
Ye've saved my life I wis fair stuck
Noo wisn't it a bit o luck"
Said Sandy handin ower his tenner
"There wis a dentist at the denner
A true professional I've nae doot
Wi a case o samples in his boot"

"Awa ben noo an gies yer spiel
I must admit ye're lookin weel
Ye're like some sexy film star god
But afore ye mine't ma o Ken Dodd
A minor miracle's been vrocht
But a dentist? Me? The very thocht
At the sicht o bleed I'm aa upset
Na Na, I'm the undertaker's mate"

WRITTEN FOR JOHN TAYLOR OF INVERURIE

If your electric blanket's deen
Bit ye dinna wint tae freeze
I bet ye'll use't till it gings bang
An starts a nesty bleeze

Weel, we ken that's nae the kine o heat
Ye wintit in yer bed
So nothing for't bit lift the phone
An get the Fire Brigade

In nae time they'll be up the street
Horn blarin – lichts aa flashin
In the door an up the stair
Hose dreepin – water splashin

They'll play the hose upon yer bed
Till it's sipin throu an smokin
Ye've nae wye dry tae sleep that nicht
Bit they couldna care a docken

Noo say that you wis drivin roon
The by-pass in yer carrie
An you wis duntit fae ahin
By a muckle artic larry

As you lie trapped nae fit tae move
Inside yer little Ka
Fa will come an get ye oot?
The firemen will – that's fa

Ye'll need them tee if you forget
That you've the chip pan on
When somebody chaps at your front door
Or needs ye on the phone

Fae heids stuck throu the railins
Tae pussy up a tree
Withoot the firemen rescuing them
Far ivver wid they be

They're wi ye within meenits
O ye dialling 999
Here's tae the lads – it's thanks tae them
We aa hiv peace o mind